L'EXÉCUTEUR

VENDREDI VENGEANCE

DON PENDLETON

L'EXÉCUTEUR

VENDREDI VENGEANCE

TRADUIT DE L'AMÉRICAIN
PAR F. GUIRAMAND

PLON

Titre original américain :

N° 37 THE EXECUTIONER :
FRIDAY'S FEAST

Photo de couverture : VLOO

© Don Pendleton 1979
© Librairie PLON/GECEP, 1982

Édition originale Pinnacle Books Inc. ISBN : 0 - 523 - 41101 - 4
ISBN : 2 - 259 - 00961 - 1

PROLOGUE

L'aube naissait à peine sur Glen Burnie, un faubourg de Baltimore, et dans l'obscurité pâlissante de la nuit, un camping-car GMC roulait à petite vitesse sur la route d'Annapolis. Le véhicule bifurqua dans l'allée d'accès d'un modeste motel mal éclairé qui paraissait désert et s'immobilisa juste en face de l'entrée.

Un individu plutôt petit et trapu surgit de l'ombre du bâtiment, et se dirigea vers le camping-car, posant son pied sur la marche extérieure du véhicule. La portière s'ouvrit instantanément et un homme de grande taille, vêtu d'un jean sortit. Les deux hommes s'étreignirent avec émotion comme deux frères se retrouvant après de longues années de séparation. Et d'une certaine manière, ces deux-là étaient frères. Le plus petit des deux, c'était Leo Turrin, un agent fédéral camouflé, qui depuis des années vouait courageusement sa vie, à l'anéantissement de la Mafia. Quant à l'autre – le grand – c'était Mack Bolan, sur-

nommé l'Exécuteur. Aussi puissant et dangereux à lui tout seul, qu'une armée tout entière,
et qui avait pour sa part juré de liquider la
Mafia, et y était presque parvenu au cours
d'une bonne trentaine de raids exterminateurs
consacrés à ce but.

Puis le camping-car traversa le parking et
regagna la route d'Etat numéro 2. Une jeune
femme brune conduisait : Rose d'Avril. Un
agent technique fédéral appointé par la Maison-Blanche pour assurer à Bolan le support
officieux dont il avait besoin pour son « ultime
campagne sanglante », et nettoyer enfin le territoire des Etats-Unis de l'emprise pourrie de
la Mafia.

La jeune femme avait observé les retrouvailles émouvantes des deux hommes dans le
rétroviseur et levait à présent la main pour
répondre aux quelques mots rapides lancés par
Bolan :

— Rose, je vous présente « Grimpeur ».

Visiblement Grimpeur n'aimait pas trop se
montrer, même à quelqu'un du même bord.
Personne au fond n'avait à connaître sa véritable identité et c'est pourquoi il resta timidement dans la pénombre à l'arrière du véhicule,
et se contenta de marmonner un bonjour gêné
à l'adresse de Rose. Mais déjà Bolan l'entraî-
nait dans la salle de guerre, et les deux hommes s'installèrent autour d'une petite table de
travail. Bolan servit alors deux tasses de café
avant de s'enquérir :

– Ça boume dur, mon vieux?

– Si on veut, répondit Leo sans trop se mouiller. Le plus rude par les temps qui courent, c'est de se maintenir du bon côté de la barrière.

– Tu veux dire qu'il est de plus en plus étroit, ce bon côté? fit Bolan avec un sourire grinçant.

– Exact. Etroit, et plein d'embûches, comme on dit. Mais ça ne devrait pas durer. Si j'ai bien compris, on va me balancer dans les hautes sphères, et alors, fini le grand jeu. D'ailleurs entre nous, mon vieux, ça me botte plutôt. J'en ai ras le bol de cette vie, Sergent!

Oui, Bolan le comprenait facilement : comme l'avait observé Rose d'Avril il n'y a pas si longtemps, il ne s'agissait pas d'une vie, mais bien plutôt d'une sorte de mort. D'ailleurs Angelina Turrin non plus, n'avait rien contre un certain changement.

– C'est pour quand les hautes sphères? s'enquit Bolan.

– Comme si tu ne le savais pas, répliqua Leo avec un petit sourire malin. Allons, Sergent, joue pas au plus fin avec moi. Hal m'a tout raconté : tu prends du service. En ce qui concerne ma participation, la réponse n'est pas « oui », mais « diable que oui ».

Hal c'était Harold Brognola, le chef fédé. A travers lui, la Maison-Blanche faisait à Mack Bolan une proposition qu'aucun homme sensé n'aurait l'idée de refuser. Malgré cela, la décision n'avait pas été facile à prendre. Bolan avait accepté l'offre du Président de diriger un groupe de sécurité ultra-secret mais c'était à deux conditions. Tout d'abord, et Bolan avait bien précisé ce point, il voulait du temps pour monter l'offensive finale de sa guerre personnelle contre le royaume du crime en Amérique. Ensuite, il voulait avoir le choix de ses collaborateurs pour diriger ce nouveau service. Et sa première recrue c'était Leo Turrin.

– Tu sais, Leo, reprit-il doucement, il ne faut pas se faire trop d'illusions. On quitte peut-être le chaudron pour se retrouver dans la poêle à frire.

– Personnellement ça ne me gêne pas, rétorqua paisiblement le petit homme. Hal prétend que t'auras droit à des funérailles nationales. Arlington, ça te dirait, non?

– Certainement pas, fit Bolan, sombre soudain. J'ai déjà une pierre tombale... gravée, même. Elle est à Pittsfield. C'est là que reposeront mes os. C'est chez eux. C'est là-bas où j'ai vraiment trouvé la mort, tu sais, Leo.

– Oui, oui, marmonna le Fédé camouflé, ému brusquement. Tu sais, Sergent, la tragédie de ta famille me hante encore bien souvent. Ta sœur était une môme tellement formidable. Par bien des côtés, elle te ressemblait. A propos, que devient Johnny?

Johnny était le dernier frère de Bolan, le seul ayant survécu au massacre de sa famille.

– Je crois qu'il commence à bien se débrouiller, répliqua Bolan, les yeux brillants de fierté. Tu sais, si nous leur conservons un monde libre et propre, ces jeunes n'en finiront pas de nous étonner.

– T'es régulièrement en contact avec lui?

– Disons de façon indirecte et assez élastique. Je ne veux pas que ma vie puisse influencer la sienne. Il faut lui laisser sa chance de mener une existence normale.

– Connerie! s'exclama Leo Turrin.

– Pourquoi parles-tu ainsi?

– Allons, faut pas rêver, Sergent. Le môme t'a toujours idolâtré. Il est fou de toi, ne parle que de toi. Bientôt, il sera en âge de faire ses choix. A ta place j'y réfléchirais sérieusement.

– Ne t'inquiète pas, rétorqua gravement Bolan, j'y songe souvent. Enfin... on verra bien ce que nous réserve cette nouvelle vie. Il se peut que tu sois amené à changer d'optique en ce qui concerne Johnny.

Turrin rayonnait à présent :

– Cette nouvelle vie, comme tu dis, c'est bien dimanche que nous l'attaquons?

– Oui, si nous vivons jusque-là.

– Pourquoi? T'as des doutes?

– Tu sais, observa Bolan avec un rire grinçant, mes doutes ont commencé il y a bien longtemps, quand nous avons éliminé le vieux tonton Sergio. Depuis ils augmentent suivant une progression géométrique, si tu vois ce que je veux dire.

— A peu près, marmonna Turrin qui prit une longue gorgée de café avant de reprendre d'une voix lasse :

— Bon Dieu, ça paraît si loin... Et la route a été longue... Parfois je me réveille la nuit couvert de sueur froide, et je me demande ce que serait devenu ce pays, si tu n'étais pas revenu du Viêt-Nam. Quand je repense à cette pourriture de Mafia ! Ces ordures tenaient toutes les forces vives de la nation au creux de leurs mains. Et nous, les officiels, bêtement, nous tentions d'en alpaguer un ou deux par les voies légales, faute de pouvoir agir autrement. Pendant ce temps, la vermine croissait, se multipliait, dévorant tout, menaçant tout le monde. Le Président des Etats-Unis lui-même n'était pas à l'abri d'une de leurs saloperies de *vendettas !* C'est quand même pas croyable !

— Tu sais, Leo, coupa vivement Bolan, il ne faut pas chanter victoire trop tôt. Ils ne sont pas encore vraiment morts. A ce propos, comment est l'humeur à New York ?

— Pas follement gaie, surtout depuis le début de la semaine, rétorqua Leo en allumant coup sur coup deux cigarettes avant d'en tendre une à Bolan. Faut dire que tu sais choisir leurs points faibles avant d'asséner tes derniers coups. Même leurs réserves de pognon ont l'air de partir en brioche. Surtout depuis le coup de Tennessee. Chaque jour, ils encaissent un gnon un peu plus meurtrier. Je ne sais pas s'ils pourront tenir longtemps. Note qu'avec eux, faut toujours se méfier : t'en bazardes un, il en ressort une douzaine d'autres prêts à prendre sa place. Mais maintenant que tu t'attaques à leur fric, ça va peut-être modifier les choses... A New York en ce moment, personne cause plus à n'importe qui. On murmure à peine, et encore pas dans l'oreille du premier venu.

Bolan eut un mince sourire avant d'observer :

– Si je comprends bien, tu ne murmurerais pas volontiers dans l'oreille de Marco Minotti.

– Surtout pas lui, gloussa Turrin.

– Qu'est-il devenu, après mercredi soir? s'enquit Bolan.

– L'est pas dans une situation très confortable. Avec la magouille du Nouveau-Mexique, il devait devenir le chef des chefs. Et quand il est rentré au pays la queue entre les jambes, il s'est contenté de prendre le vent en douceur, d'où qu'il souffle. Je dois te dire pourtant que quand j'ai quitté New York, il y a trois heures environ, Marco reprenait un peu de poil de la bête.

– A cause du coup de Floride?

– Exact. Quand t'as fait mordre la poussière à Marco, à White Sand, Tom Santelli a récupéré les billes, et tout le monde le donnait gagnant. Puis voilà que sans lui laisser faire ouf, tu lui fais sauter sa mine d'or de Floride... Alors, vois-tu, quand je les ai quittés il y a trois heures, l'humeur avait changé, et on en était encore à évaluer les pertes sèches.

– Si je comprends bien, l'ambiance est morose.

– C'est le mot, ouais. Raison pour laquelle je suis ici, d'ailleurs. On m'a chargé d'un message pour Santelli.

– Ah bon? Et il dit quoi, ce message?

– Achève ou crève.

– Ce qui signifie?

– Achève Bolan à Baltimore.

L'Exécuteur tira une longue bouffée de sa cigarette :

– Ainsi ils savent que c'est moi qui tirais les ficelles en Floride?

– Ouais.

– J'ai pourtant fait de mon mieux pour être discret.

– Quand leur fric est menacé, ils ont le nez creux, tu le sais. Et pas cons, ils se doutent bien que tu es à Baltimore aujourd'hui.

– Comment l'ont-ils découvert?

– Ils ne sont pas idiots, gloussa Turrin. Dans leur Saint des Saints, ils ont installé une grande carte au mur, avec des petits drapeaux noirs indiquant chaque endroit où tu as frappé depuis le début de la semaine. Or cette nuit, quand j'étais encore avec eux, ils ont rajouté un petit drapeau sur Baltimore. Ils disent qu'aujourd'hui, c'est « Vendredi Vengeance », le jour des vautours.

– Pourquoi les vautours?

– A cause d'une légende que l'on raconte encore dans la région et qui parle de la grande fête des vautours. Un truc sordide sur le dernier survivant terrestre qui récolte les os de ses victimes et en fait un feu de joie pour fêter sa victoire. Bref, ils appellent cela le Jour des Vautours.

– Ils sont persuadés que je veux la peau de Santelli, c'est ça?

– Ouais. En tout cas je le crois, parce qu'ils ne m'ont rien dit de précis, et par ailleurs, je ne suis guère au parfum de ce qui s'est passé en Floride. Comprends-moi : pour eux, c'est top-secret. Personne n'en parle, en dehors des réunions du Conseil Suprême. Mais pour eux, c'était un coup de la plus haute importance, et je sais que chacun des boss avaient des billes dedans. On dit même que depuis qu'ils bouffaient tous au ratelier de Santelli, on faisait la queue dans les banques suisses. Alors depuis quelques heures, tu penses s'ils s'agitent, tous ces salopards! Ils étaient encore en session extraordinaire, cette nuit, quand je suis parti, et à mon avis, ils n'ont pas encore terminé. D'après ce que j'ai cru comprendre, tout n'est pas perdu pour eux. Je parle de la mine d'or de Santelli, évidemment (1). En bref, ils ont subi de grosses pertes en Floride, mais ils espèrent bien se dédommager ailleurs.

– Et ailleurs, c'est...

---

(1) Voir l'Exécuteur nº 36 : *Jeudi Justice*.

– Baltimore. Exact.

– Y-a-t-il un rapport avec l'affaire du Tennessee, Leo?

– J'en ai plus ou moins l'impression. Santelli
contrôle toute la côte au sud du New Jersey. Il
avait une part du gâteau d'Atlanta, cela, j'en
suis sûr. Et il a perdu quelques broutilles
quand tu as débarqué dans le Kentucky, l'autre
jour. En fait t'avais commencé à grignoter
l'empire du mec bien avant l'histoire de Floride, et d'après ce que j'ai pu savoir il a encore
pas mal d'intérêts dans le Tennessee.

– On a des nouvelles de notre ami, là-bas?
demanda paisiblement Bolan.

– Je n'en sais strictement rien, répliqua vivement Turrin, et d'ailleurs, moins je suis au
courant, mieux je me porte.

– D'accord, je comprends, soupira Bolan.
Que se passera-t-il quand tu auras transmis le
message à Santelli? Tu retourneras au QG?

– Perdu, fit Turrin avec un petit sourire. T'as
l'air d'oublier, mon vieux, que chez ces messieurs, je suis l'expert pour tout ce qui concerne Mack Bolan. Alors, je reste à Baltimore.

– C'est pas une tellement bonne nouvelle,
soupira Bolan en fronçant les sourcils. J'ai bien
peur que ta présence dans les parages ne gâche
mon style.

– Cela dépend du point de vue que l'on
adopte, rétorqua le Fédé imperturbable. Au

contraire, je crois qu'à tous les deux on pourrait s'en sortir, et plutôt à ton avantage.

– Si tu veux mon avis, je préfererais que tu prennes du large. Tire-toi donc, et attends patiemment jusqu'à dimanche. A propos, comment vont Angie et les gosses?

– Bien, bien. Du moins c'était vrai il y a trois jours. Mais je ne peux pas les contacter tous les jours. Tu le sais, Sergent, moi aussi, j'ai une saloperie de besogne à exécuter.

Bolan écrasa son mégot, et alluma immédiatement une nouvelle cigarette :

– OK, soupira-t-il avec une lassitude non dissimulée, on va essayer de s'en tirer tous les deux.

Turrin expliqua alors d'un ton très détaché :

– Ils envoient du renfort à Santelli. Je ne connais pas les détails mais il y a eu du mouvement toute la journée, avec des arrivages d'un peu partout. Apparemment, la devise « achève ou crève » n'est pas prise à la légère. Ma mission officielle est celle de « conseiller » d'offensive. Ce qui signifie que je vais devoir rester dans l'ombre de Santelli, la plupart du temps.

– Tu vas faire un sacré conseiller! grinça Bolan.

– Ouais, gloussa le Fédé. Du reste ce genre de situation va me manquer quand nous planerons dans les hautes sphères. J'adore embarquer toutes ces ordures sur des vaisseaux

fantômes en leur roucoulant des mots doux.
Et plus ce sont des mecs puissants, plus je
m'amuse.

Brusquement, Turrin s'interrompit pour
consulter sa montre :

— Eh, le temps passe vite, soupira-t-il. Il faut
que j'y aille, maintenant.

Et passant la tête par l'entrebâillement de la
porte, il cria à l'adresse de Rose d'Avril :

— Lâchez-moi au prochain carrefour, mon
chou.

Puis se tournant vers Bolan :

— N'essaie pas de me joindre, Sergent. Ces
pourris sont nerveux comme des puces : des
vrais paranos. Alors laisse-moi du mou. C'est
moi qui te contacterai... sitôt qu'ils m'auront
donné des ordres. A mon avis, la première
manche sera pour la forteresse au bord de la
baie.

— Tu veux dire la planque d'Arnie le Fermier ?

— Exactement. Tu connais la route ?

Bien sûr que Bolan la connaissait. Il tira une
longue bouffée de sa cigarette, avant d'observer d'une voix lointaine :

— T'as bien dit, le Jour des Vautours ?

— Oui.

L'Exécuteur exhala lentement la fumée :

— Eh bien va pour les vautours, murmura-t-il
doucement. Pourquoi pas ?

En effet, pourquoi pas ?

CHAPITRE PREMIER

Leo Turrin s'apprêtait à quitter la cabine de commande de la caravane de Mack Bolan, quand la voix tendue du chauffeur, la ravissante Rose d'Avril, résonna dans l'interphone :

— Je crains que nous n'ayons des ennuis à l'arrière.

— Précisez! aboya Bolan.

— Un gros véhicule. A huit cents mètres derrière nous. Ne nous a pas lâchés depuis trois kilomètres à peu près. Deux passagers à bord.

— Ami ou ennemi? lança Bolan nerveux.

— Contact nul, rapporta Rose. Pas de réponse à mes appels.

— Oh merde! grommela Turrin. Ils sont après moi! J'aurais pourtant juré que j'étais clair! Merde! Merde...

— Ce sont peut-être des flics locaux, suggéra Bolan sans conviction. On va essayer de les capter sur radio.

Il brancha la console de communications de la salle de guerre et les écrans des deux scanners s'allumèrent. Il lança alors dans le micro :

— Un peu de gomme, Rose!

Le lourd véhicule bifurqua rapidement sur la droite, empruntant une bretelle de sortie et reprit de la vitesse dans une rue résidentielle encore sombre.

— Dites-nous ce qui se passe! cria Bolan dans l'interphone, à l'adresse de Rose.

— La cible ralentit. A peine visible... OK, la revoilà. Elle accélère. Distance : un kilomètre et demi, mais elle se rapproche rapidement.

Les scanners radios branchés sur la fréquence de la police ne réagissaient pas. Quelques instants plus tard, Rose d'Avril rapportait :

— La cible roule à cinq cents mètres maintenant, et maintient l'allure. Un vrai pot de colle.

— Je t'avais bien dit qu'ils étaient tous dingues là-bas, des vrais paranos. Ils ont dû me ferrer à l'aéroport et maintenant on est dans un sacré merdier!

— Pas tout à fait encore, grommela Bolan, et il donna quelques instructions précises à Rose.

— Reste avec elle, Leo, dit-il à son ami. Si ça devait tourner vinaigre, tu sais ce qu'il faut faire.

Et sans laisser au Fédé le temps de réagir,

Bolan gagna l'arrière du véhicule, tandis que celui-ci ralentissait après un brutal virage à gauche. Une seconde plus tard, il était dehors et se fondait dans la nuit.

Turrin, le cœur battant se précipita à l'avant vers la console de commande de Rose d'Avril. La jeune femme venait d'immobiliser la lourde caravane de guerre sur le bas-côté de la rue, et scrutait intensément l'écran électronique monté sur le tableau de bord.

– Toujours ce jeu du chat et de la souris, murmura-t-elle, sans quitter l'écran des yeux. Voilà, ils ralentissent... Ils s'arrêtent, maintenant. OK, c'est bon. Il va pouvoir vérifier de quoi il s'agit... S'ils sont nets ou pas.

Le professionnalisme froid et détaché de cette ravissante jeune femme était décidément ahurissant, et Turrin n'y était pas insensible, malgré l'angoisse que lui inspirait la situation. Car le danger était là, et c'est lui, Leo qui avait attiré Bolan et sa charmante coéquipière dans ce guêpier infernal. Le danger n'était pas quelque chose de nouveau pour les deux hommes. Aussi loin que remontaient leurs souvenirs communs, ils l'avaient côtoyé, et souvent dans des conditions défiant l'imagination. En outre Leo savait combien ses contacts avec son ami comportaient de risques, mais parfois les avantages dépassaient de beaucoup les périls encourus. Aujourd'hui, par exemple...

Les relations de Bolan et de Leo Turrin ne dataient pas d'hier. Avant de connaître l'Exécuteur, le Fédé menait déjà une double vie. Elle était alors devenue triple, si l'on peut dire...

Turrin était neveu par le sang de feu Sergio Frenchi, un des pères fondateurs de *la Cosa Nostra*, et dès son plus jeune âge il avait été élevé pour devenir un chef *mafioso*. Il n'en n'était pas moins rentré de son service militaire au Viêt-Nam, profondément déterminé à participer à la lutte contre le crime organisé qui rongeait et pourrissait toutes les institutions du pays. Bien entendu, les autorités fédérales avaient été enchantées de voir débarquer dans leurs rangs quelqu'un qui allait pouvoir s'infiltrer sans risque chez l'ennemi : la couverture de Turrin était solide. Et on lui avait immédiatement donné le nom de code de Grimpeur, un surnom bien trouvé, car Turrin avait pour mission de monter le plus haut possible dans la hiérarchie de la Mafia, de manière à fournir au gouvernement toutes les informations que sa position lui permettrait de recueillir. Un boulot relativement cool, à certains moments, du moins... Et puis Bolan avait débarqué...

Leo était alors lieutenant – *caporegime*, comme on disait dans le Milieu – de son oncle Sergio, chef de la grande famille du crime qui contrôlait tout l'ouest du Massachusetts, et en particulier Pittsfield, la ville natale de Bolan. Il avait donc joué un rôle – mineur, c'est vrai – dans la tragédie qui avait frappé la famille Bolan.

C'est alors que la vie de Leo Turrin s'était vraiment compliquée. Pendant toute la période du début, Bolan avait choisi Turrin comme cible de prédilection, et le Fédé camouflé n'avait réussi à sauver sa peau qu'en révélant à l'Exécuteur son rôle véritable au sein de l'Organisation. Par la suite, les deux hommes devaient très occasionnellement travailler main dans la main, et les véritables difficultés avaient commencé pour Leo Turrin.

La Mafia en effet, voulait la tête de Bolan, mais toutes les polices du pays, y compris les chefs fédéraux de Turrin rêvaient aussi de boucler l'Exécuteur, considéré comme un individu hyperdangereux. Et du même coup, les deux « bords » s'étaient pris à considérer Turrin comme « l'expert Bolan ». Une position bien inconfortable.

A aucun moment pourtant, Leo n'avait douté de ses choix. Aussi adroitement que possible, il s'était efforcé de maintenir un certain équilibre en satisfaisant les demandes des deux bords, tout en avançant main dans la main avec Bolan. Et la relation entre les deux hommes avait abouti à une sorte de symbiose, chacun respectant et appréciant l'autre, chacun tolérant les impératifs et les méthodes de l'autre.

Puis tout récemment, Washington avait enfin accordé un pardon et une réhabilitation à « l'individu dangereux ». Pourtant, celui-ci avait enfreint à peu près toutes les lois répertoriées dans le code civil et pénal... et ce, avec récidive, pour employer un euphémisme. Mais sans doute le gouvernement réalisait-il maintenant ce que Leo Turrin avait toujours su, depuis sa première rencontre avec Bolan : l'Exécuteur était un homme à part, quelqu'un de complètement différent, comme le monde n'en avait sans doute plus connu depuis les temps héroïques de la chevalerie. Ce combattant dont le courage et l'audace défiaient l'imagination, n'était mû par aucun désir de vengeance. L'idéal de Bolan était beaucoup trop élevé pour être terni par des petites préoccupations personnelles. Et la tragédie de sa famille n'avait été pour lui qu'un détonateur, une sorte d'éveil brutal à la vérité. Or Bolan n'était pas homme à se détourner de la vérité, une fois qu'elle lui avait été révélée. Et s'il avait enfreint la loi, il ne fallait pas y voir une preuve de mépris envers les institutions.

Au contraire, pour cet homme épris de liberté, le seul moyen de préserver la loi pour ceux qu'elle était destinée à protéger était de l'enfreindre, dans certains cas au moins. La Mafia en effet tenait le dessus du pavé, et relevait la tête chaque jour davantage, s'appropriant avec insolence tout ce qu'elle voulait, quand elle le voulait. Or, pour Bolan, la « loi » appliquée dans le pays, n'avait plus aucun pouvoir sur la prolifération de la vermine.

Aux yeux de Bolan, l'empire du crime constituait un Etat dans l'Etat, un ennemi national

agissant de l'intérieur, et voué à l'anéantissement des idéaux les plus nobles de l'Amérique.
Pour ce faire, l'ennemi tournait les lois à son
avantage... et gagnait sur tous les fronts. Il
fallait donc réagir, et l'Exécuteur l'avait fait à
sa manière. Bien sûr, pas selon les méthodes
de Leo Turrin ou de la police : Mack Bolan
était un soldat, et il avait réagi comme tout bon
soldat l'aurait fait sachant sa patrie menacée; il
était parti en guerre. Une guerre mortellement
dangereuse, c'est vrai, mais une belle et glo-
rieuse guerre... Et il l'avait presque gagnée!

Sauf bien sûr si...

Rose d'Avril était penchée maintenant sur
la console de contrôle, et avait branché le
système infrarouge couplé laser. Prodigieuse
technique. Une image floue vaguement rougeâ-
tre commençait à apparaître sur l'écran, un
peu comme un négatif de film éclairé de derrière par des ampoules rouges. Les contours
d'une voiture se dessinèrent, puis le buste de
deux hommes dont les têtes étaient tournées à
droite, comme pour parler par la vitre du
passager.

Enfin deux éclairs traversèrent soudain
l'écran pour se ficher dans les deux têtes qui
brusquement s'affaissèrent.

Malgré elle, Rose d'Avril se raidit, et poussa
un soupir à peine audible. Turrin lui serra
doucement l'épaule tout en murmurant :

– Du nerf, mon petit. Il faut tenir bon la
rampe.

Et il s'éloigna et retrouva son ami le guerrier dans la rue sombre :

— Je suis désolé, Sergent, marmonna-t-il.

— Pas autant que ces deux ordures, rétorqua Bolan d'une voix parfaitement détachée. Tout en parlant, il ôtait du canon de son Beretta un très curieux silencieux, de sa fabrication sans doute.

— Qui étaient-ils?

— Ike et Mike Baldaserra. Quel était leur matricule ces derniers temps?

Turrin eut un petit sifflement avant de répondre :

— Mystère! La dernière fois que j'ai entendu parler de ces deux racailles, elles swinguaient à Atlanta.

— Tu pourrais peut-être savoir qui les a balancés ici, et pourquoi ils te filaient depuis New York.

— Tu crois qu'ils étaient à mes trousses dès le départ?

— Apparemment oui. Mike avait dans sa poche un billet d'avion New York – Baltimore, et la voiture a été louée à l'agence Avis de l'aéroport.

Turrin hocha la tête :

— Bon, c'est peut-être un cadeau du ciel. Sinon...

— A toi de choisir, ricana Bolan.

— Tu crois que je me suis démasqué?

— Pas impossible, rétorqua Bolan en haussant les épaules. En tout cas je te conseille de vérifier, et en vitesse encore.

– Impossible, marmonna Turrin.

– Décidément, t'es têtu comme une vieille mule!

– Question tête de mule, t'as vraiment rien à m'envier, grogna Turrin. Quand je pense que tu nous as embarqués dans une seconde campagne sanglante! Faut quand même le faire!

– OK, grinça Bolan. Et maintenant gaffe à ta peau, mon vieux.

– Idem pour ta pomme.

– T'as besoin d'aide pour transbahuter la viande froide?

– Je vais me débrouiller, Sergent. Mais je t'en prie sois prudent! Attends que je te contacte.

– J'essaierai, rétorqua laconiquement Bolan. Mais ça n'est pas toujours facile, tu sais, ajouta-t-il avec un coup d'œil à la voiture des deux macchabées, derrière.

– Ouais, je sais, soupira Leo Turrin avant de s'éloigner dans la nuit, pour s'occuper des cadavres.

Il reprendrait ensuite leur voiture pour l'abandonner non loin du véhicule qu'il avait loué en arrivant à l'aéroport.

– Oui, souffla-t-il dans la nuit, parfois les choses ne savent pas attendre.

CHAPITRE II

— Beau boulot, souffla doucement Bolan à Rose d'Avril en la rejoignant près de la console de commande.

La jeune femme accepta le compliment sans commentaire, et remettant la caravane en marche, prit la direction de la route d'Etat. Sur l'écran de contrôle, la voiture contenant les deux cadavres et pilotée par Leo Turrin avait déjà pris le large. En arrivant à l'intersection de la route, Bolan grommela :

— Cap sur le nord.

Le temps de bifurquer dans la direction indiquée, le véhicule de Leo avait disparu de l'écran de repérage.

— On le retrouve, ou on laisse tomber ? demande Rose à mi-voix.

— On laisse tomber, ordonna Bolan.

La jeune femme ne put réprimer un soupir de lassitude elle aussi, tout en coupant le contact du repérage électronique de cible. Il faut dire que l'homme installé à côté d'elle n'était pas d'humeur loquace. Dans des moments comme celui-ci, il était énigmatique comme le Sphinx de Thèbes. Et si Rose s'efforçait de comprendre ses silences, et de les respecter, elle savait aussi que parfois, ils compliquaient bien les choses.

Au bout de longues minutes, qui lui parurent une éternité, elle finit par demander d'une voix qui voulait singer le ton de commande de Bolan :

— Comment lisez-vous la situation, soldat?

Bolan lui lança un regard un peu troublé :

— Pas très clairement, faut avouer.

— Reprenons les données ensemble, voulez-vous? Quelle est l'identité des deux cadavres?

Il alluma une cigarette, et répondit tout en soufflant la fumée au plafond :

— Deux tueurs à gages de Brooklyn : les frères Baldaserra, spécialisés dans les tortures raffinées.

— Bah! s'exclama Rose en faisant une grimace dégoûtée.

— A l'origine, ils travaillaient pour la famille Mavnarola, à qui je dois déjà des individus de première bourre comme Augie Marinello, et Freddie Gombella. Puis, il y a quelques années, les Baldaserra se sont mis à leur compte. J'imagine qu'ils avaient envie de monter une petite entreprise de crime bien à eux, pour s'approprier une part du marché des territoires de New York. Cela se passait un peu avant mon entrée en scène. Mais quand je suis allé à New York pour la première fois, les Fédés les avaient déjà alpagués, et ils étaient derrière les verrous. Petites inculpations. Si bien que je ne les avais jamais rencontrés jusqu'à ce soir.

Rose d'Avril était apparemment fort impressionnée par l'étonnante mémoire de son compagnon.

– Vous n'oubliez donc jamais aucun détail n'est-ce pas? murmura-t-elle pensive. Vous dites ne les avoir jamais vus avant, et pourtant il faisait sombre... Vous êtes sûr que...? Enfin, je suppose que votre boîte à malice magique fonctionne dans ces cas-là.

La jeune femme faisait allusion au fichier d'archives conservées sur micro-films que recelait la console de renseignements, et qui contenait une étude véritablement exhaustive des mœurs et caractérisques de cette espèce bien particulière, les *mafiosi carnivoris*.

– Je tiens ce que vous appelez ma boîte à malice parfaitement à jour, observa sombrement Bolan. Et je connais tous ces individus par le menu. Si vous voulez, je peux même vous dire ce qu'ils prennent au petit déjeuner. Alors vous pensez bien que je suis capable de reconnaître n'importe lequel d'entre eux, même s'il ne fait pas très jour...

Rose frissonna imperceptiblement, puis demanda d'un ton plus badin :

– Vous croyez que nous sommes grillés?

– Non, je ne pense pas. Les deux ordures

avaient loué une voiture. Sans radio. Ils n'ont
certainement pas eu le temps de transmettre
un rapport. Sinon, ils rompaient leur filature.
On est donc tranquilles pour un moment. Par
contre, pour Grimpeur, c'est sans doute pas la
même chose.

– Il dit que c'est lui qui les a attirés.

– C'est vrai, ce qui implique que quelqu'un
commence à l'avoir à l'œil.

Rose hésita un instant avant d'oser poser la
question qui lui tenait à cœur :

– Grimpeur et Leopold Turrin ne sont
qu'une seule et même personne, n'est-ce pas?

– Chut! s'exclama doucement Bolan. Comment avez-vous deviné?

La jeune femme secoua lentement la tête :

– Moi aussi, savez-vous, je consulte parfois
les micro-films d'archive. Et en l'occurrence,
j'avais une raison bien précise. On dit qu'à une
certaine époque, Leopold Turrin avait les coudées franches à Pittsfield.

Bolan réprima un mauvais rictus avant de
répondre :

– Il avait en fait bien davantage que les
coudées franches, là-bas. Disons plutôt qu'il
détenait les clés du royaume.

– Et qu'en a-t-il fait?

– Je crains d'avoir bousillé la serrure.

– Je vois.

Après un instant de silence, elle reprit :

– Etonnant que vous ne lui ayez pas fait
sauter la cervelle. Vous avez sans doute préféré

le convaincre de devenir un bon petit soldat. Très bizarre, tout de même.

Puis après un nouveau temps de réflexion.

– Je me suis en fait documentée sur un certain nombre de points, ces derniers jours. J'ai... enfin, j'ai découvert qui était Cindy. Vous savez bien, reprit-elle, avec un regard de biais à Bolan, cette fille qui vous a envoyé au Viêt-Nam, un exemplaire de *Don Quichotte* rempli d'annotations, et dédicacé : « A toi pour toujours ». Au début, j'en étais très jalouse, puis monsieur Brognola m'a expliqué que cette Cindy était votre sœur, et m'a un peu raconté comment elle était morte. Voilà pourquoi cette affaire de Leopold Turrin m'étonne. Après tout, c'était lui le premier responsable de la tragédie. Alors comment s'expliquer l'amitié qui vous unit? Franchement je ne comprends pas. Cela me choque, même.

Bolan lui répondit très calmement :

– Vous ignorez les faits dans leur intégralité, Rose. D'abord je n'ai converti Leo à rien du tout. Il répondait au nom de code de Grimpeur bien avant mon entrée en scène. Et il n'a jamais été responsable du massacre de Pittsfield. Au contraire, il a tout fait pour l'éviter, et à même couru pour cela des risques insensés. Mais hélas, tout au début je l'ignorais, tout comme j'ignorais que, de façon camouflée, il faisait tout son possible pour m'épauler, alors que pendant ce temps, j'essayais de le faire sauter... Et dire que j'ai failli y réussir! Sans...

Bolan s'interrompit pour prendre une profonde inspiration avant de poursuivre :

– Oui, Rose, Leo est mon meilleur ami, et sans doute aussi l'homme le plus exceptionnel que j'ai côtoyé dans ma vie. Essayez de comprendre ceci : je mourrais volontiers pour ce gars, et sans aucun regret encore! Alors sa situation présente m'inquiète infiniment.

– Expliquez-moi donc comment se présente le jeu.

– Je ne le vois pas encore bien clairement, je vous l'ai dit.

– Essayons d'en analyser ensemble les données.

Bolan lui expliqua alors tout ce que Leo lui avait raconté sur New York, et conclut :

– Voilà, je n'en sais pas davantage, et par conséquent, n'ai aucune idée du bourbier où risque de s'enfoncer Leo. Et le pire, je crois, c'est que lui non plus.

– Allons, il n'est pas né de la dernière pluie, tout de même, fit Rose avec un sourire rassurant.

– Qui sait? soupira Bolan avec lassitude. Le problème, voyez-vous, c'est que l'on ne peut pas appliquer la logique habituelle quand il s'agit de ces gens-là.

– Quel genre de logique faut-il donc?

– Celle des dingues, murmura-t-il doucement.

– Vous voulez dire qu'ils sont tous véritablement fous?

– Mais évidemment! Vous en doutiez encore?

– Vous feriez un très bon témoin pour la défense! répliqua Rose sur un ton très sarcastique, et sans doute beaucoup plus dur qu'elle ne le voulait. Mais Bolan ne releva pas, et se contenta de répondre à mi-voix :

– Qui cherche à les faire juger, à votre avis?

– D'accord, d'accord, s'empressa de répondre la jeune femme. J'oublie toujours que vous êtes à la fois le juge et les jurés.

– Je ne me suis jamais pris ni pour l'un ni pour les autres, contra Bolan d'une voix lointaine.

– Alors qu'est-ce que vous êtes exactement?

– Leur jugement, tout simplement, déclara-t-il doucement.

Une petite nuance qui faisait une grande différence. Bolan ne jugeait pas ses ennemis. Ceux-ci se jugeaient eux-mêmes, et leurs actions les condamnaient. Quant à Mack Bolan, il n'était que l'Exécuteur de la sentence.

– Un jour, il faudra que vous m'expliquiez votre point de vue plus en détail, murmura Rose d'Avril. Mais revenons à la logique des dingues.

Bolan fronça les sourcils :

– Pour eux, elle n'a rien de dingue. Avec des choses tordues dans la tête ils fabriquent un monde tordu, dans lequel l'intelligence devient la bêtise, et le Bien se change en Mal.

— Donc, comment selon vous ont-ils échafaudé le jeu de Baltimore ?

— Les gros bonnets de New York ont peut-être l'intention de se débarrasser de certaines pommes véreuses, en leur refilant Leo comme pigeon. C'est pas impossible. Dans un monde tordu, tout est toujours truqué, et c'est bien ainsi que ces salauds pourraient manigancer leur petite fête. On envoie un émissaire pour bercer d'illusion le mec à supprimer, et en avant, on tire les ficelles. L'émissaire, bien évidemment n'est pas au parfum, et sitôt que les réjouissances commencent, il est le premier à en ramasser plein la pipe.

— A votre avis, c'est pour cela qu'ils ont dépêché les Baldaserra ?

— Possible. Si l'affaire se présente comme je l'imagine, les crapules de New York ont loué les services des frères Baldaserra pour garder un œil sur Leo. Non pas parce que Leo est suspect, mais parce qu'on l'a chargé d'une mission extrêmement délicate, et que le *timing* est particulièrement important dans ce genre de double jeu.

— C'est l'unique éventualité envisageable ?

— Hélas non. Les chefs ont peut-être décidé tout autre chose, et désirent placer quelqu'un de fort à Baltimore. Dans ce cas, Leo ferait très bien l'affaire.

— Et où interviendraient Ike et Mike ?

– Deux possibilités, expliqua patiemment Bolan. Soit quelqu'un à New York a de bonnes raisons de supposer que Santelli ne sera pas éternel, soit Leo lui-même commence à piétiner des plates-bandes réservées. Dans le premier cas, on aurait balancé Leo ici pour faire un rapport détaillé sur les agissements de Santelli, et dans le second on tend un os à ronger à Leo pour voir ce qu'il va en faire.

– Tout cela n'est guère réjouissant, observa Rose.

– Non. Les deux éventualités sont également dangereuses pour Leo.

– Que va-t-il se passer quand on s'apercevra à New York que la filature des Baldaserra a été coupée? Ne va-t-on pas s'imaginer que Leo...

– Oh, Leo est très habile pour résoudre ce genre de problème, assura Bolan. On ne découvrira pas de sitôt les cadavres des tueurs. Sans doute d'ailleurs ne les trouvera-t-on jamais. A New York, on se demandera peut-être où ils sont passés, mais sans trop chercher... Vous savez, dans un monde de dingues, l'éclipse d'une paire de crapules comme des Baldaserra n'est pas vraiment un drame.

– Et maintenant, reprit Rose, comment analysez-vous la situation en dernier ressort?

– Je puis seulement dire que la journée sera drôlement longue, à Baltimore soupira Bolan. Vendredi Vengeance, Jour des Vautours : on pouvait d'ailleurs s'y attendre...

CHAPITRE III

La sentinelle était à moins d'une longueur de bras. Elle respirait très lentement, et semblait perdue dans une rêverie paisible. Son fusil était appuyé un peu plus loin contre le mur de pierre qui protégeait la propriété. Une faible lumière jaunâtre brillait à l'angle de la maison, à la hauteur du second étage, et la brise légère soufflant de la mer agitait doucement le feuillage d'un arbre maigrichon.

Elle était jeune, cette sentinelle, très jeune même : presque un gosse. Or que pouvait savoir un gosse habitué aux rues des grandes villes, de la solitude des longues gardes nocturnes, ou des dangers que présentent les rêveries innocentes en plein cœur de la jungle ?

A l'évidence, pas grand-chose. Les deux autres sentinelles, un peu plus loin là-bas avaient sans doute appris tout ce qu'elles devaient connaître, et n'en sauraient jamais davantage...

Mais celle-ci était décidément trop jeune pour...

Bolan tortilla un instant entre ses doigts un garrot de nylon tout neuf, puis le fourra vivement dans sa poche. Il se colla ensuite une cigarette entre les lèvres, et brandissant vivement son briquet allumé juste sous le nez du gosse, lui murmura dans l'oreille :

– Bang! T'es mort!

Le môme faillit s'affaler de surprise en voulant récupérer son arme, et haleta d'une voix sourde :

– Seigneur Dieu! Tu m'as foutu une de ces trouilles!

– Te plains pas, minot, j'aurais facilement pu te foutre autre chose! grogna Bolan. Tu rêvassais aux étoiles, il me semble.

Le gosse essaya de protester :

– Non... enfin j'avais cru entendre un bruit et je regardais...

– Laisse tomber! coupa légèrement Bolan. De toute façon, personne n'a rien vu sauf toi et moi, pas vrai?

– Exact, fit le môme visiblement soulagé devant la réaction presque amicale de l'inconnu dont il ne distinguait toujours pas le visage. Pour être honnête, reprit-il, je commençais à me demander ce que je foutais ici. J'ai strictement rien vu ni rien entendu, de toute cette putain de nuit.

Tout en parlant, il essayait de mieux voir Bolan qui décida de lui accorder ce menu plaisir. L'Exécuteur tendit sa cigarette au jeune homme et s'en alluma une pour lui, prenant tout son temps avec le briquet allumé devant son visage. Puis il observa enfin :

– Mais t'es pas là pour te poser des questions, pas vrai?

– Exact, m'sieur. Je...

– Appelle-moi donc Frankie.

– D'accord. Oh, et merci pour la cigarette, m'sieur.

Assez sympa, le môme. Dans le contexte présent du moins, car dans d'autres circonstances...

– Je t'ai dit de m'appeler Frankie.

Le gars commençait d'être un peu mal à l'aise :

– OK, euh... Frankie.

– Et toi, comment on t'appelle?

– Sonny.

– On dirait que ça te plaît pas?

– Non, m'sieur. Je suis Sonny depuis le jour de ma naissance. Serait temps que je me fasse un vrai nom.

Bolan le regarda gravement :

– Dorénavant tu seras l'Arpenteur.

– Comment, m'sieur?

– Tu voulais un nom? Eh bien t'en as un.

– L'Arpenteur? Mais pourquoi?

– Parce que lorsque je t'ai vu pour la première fois tu aurais dû arpenter le terrain au lieu de rêvasser. Alors je trouve que ce nom te va bien. Désormais, tu es l'Arpenteur.

A l'évidence, le môme était impressionné.
Dans ce monde de vermine et de pourriture,
avoir un « nom » était à peu près aussi important que le baptême dans la religion chré-
tienne. Peu importait du reste ce qu'évoquait
ce nom. L'essentiel était d'en posséder un, et
seul un chef pouvait en donner un à un homme
de main. Le môme était bien jeune, mais il
connaissait déjà la musique.

Il souffla d'une voix mal assurée :

– Dieu de Dieu, je suis désolé, je ne vous
avais pas remis... Il y a tant de gens qui vont et
viennent, par les temps qui courent... enfin, je
veux dire...

Bolan éleva la main pour le faire taire, et lui
demanda sévèrement :

– Depuis quelle heure t'as pas été relevé ?

– Deux heures du matin.

– Nom de Dieu, mais il fait presque jour ! Et
t'as pas été relevé du tout ?

– Non, m'sieur.

– Pas étonnant que tu dormes debout ! grommela Bolan. Qui est ton chef ?

– Mario, avoua le môme visiblement à contrecœur.

– Mario Cuba ? lança Bolan sans trop savoir
s'il tapait juste ou pas.

– Ouais, m'sieur.

– Bon, va faire un tour, et repose-toi un peu,
ordonna Bolan. Mais avant, va dire à Mario
que je veux le voir ici dans dix minutes, pas
une de plus. C'est clair ?

Le gosse maintenant ne savait vraiment plus à quoi s'en tenir :

– OK, m'sieur Frankie, bégaya-t-il. Dans dix minutes, j'ai bien compris. Vous inquiétez pas, ça sera fait.

Et s'emparant de son fusil, il se rua vers l'arrière de la baraque.

Bolan lui, s'éloigna dans la direction opposée, pour s'occuper de la dernière sentinelle qui gardait l'autre extrémité de la propriété. Il s'immobilisa à quelques pas d'elle et souffla d'une voix tranquille :

– Qui es-tu, toi, là-bas?

Une voix d'homme mûr lui répondit :

– Jimmy Jenner. Qui va là?

– Ce salaud de Mack Bolan!

– Ah ah, elle est bien bonne. Quel bon vent l'amène?

– Il fait presque jour, reprit Bolan. Tout marche comme tu veux?

– Tu parles, super! ricana l'autre. Depuis deux heures je me suis tapé trois blondes chaudes comme des chiennes en chasse, une Chinoise nympho, et un matronne italienne corsée. Et toi, ça boume?

Bolan rit doucement avant de répliquer :

– Tes fantasmes sont encore plus chouettes que les miens. Tâche seulement de rêver les yeux ouverts, si tu vois ce que je veux dire.

– Ouais... dis-donc, où est passé Mario?

– J'allais justement te demander si tu l'avais vu. Ce salaud, je vais sacrément lui botter le cul, sitôt que je lui mets la main dessus. Sonny m'a dit qu'il n'y avait pas eu de relève depuis deux heures.

L'autre gars ne savait plus très bien maintenant sur quel pied danser :

— Oh, c'est pas exactement ça, marmonna-t-il, mal à l'aise. Mario a fait sa ronde deux ou trois fois dans la nuit.

Tout en parlant, il essayait de se rapprocher de Bolan toujours dissimulé dans l'ombre.

— En tout cas, si tu le revois, dis-lui que Frankie le cherche.

La sentinelle s'immobilisa instantanément, et Bolan sentit son regard tendu qui cherchait à scruter les ténèbres.

— Vous êtes Frankie de New York ? demanda l'homme d'une voix angoissée.

— Je suis Frankie et je suis de New York, répondit paisiblement Bolan.

— Seigneur Dieu, s'exclama l'autre d'une voix étouffée. Jamais j'aurais cru. J'ai souvent entendu parler de vous, Frankie. A l'époque, j'avais un cousin qui travaillait pour les frères Talifero.

— Comment s'appelait-il ?

— On l'appelait Charlie la Merveille.

Ouais, Bolan l'avait bien connu, Charlie la Merveille, à la grande époque des Talifero.

— Dommage qu'il lui soit arrivé des bricoles, à ton cousin Charlie, observa-t-il d'une voix sincèrement attristée. C'était un sacré chauffeur, les jours de gros contrats.

– C'est vrai, m'sieur, il connaissait bien la musique!

– Et dommage aussi pour ces braves Talifero.

– Ouais, m'sieur. C'est vraiment pas beau, ce qui leur est arrivé. Enfin, ainsi va la vie.

Voilà donc le gars qui philosophait maintenant! Et subrepticement, il essayait de se rapprocher de Bolan espérant mieux voir le visage de Frankie, « le flingue le plus rapide, à l'Ouest du Mississipi ».

Mais Bolan ordonna sèchement :

– A partir de maintenant, tu bronches pas jusqu'à ce que je te dise le contraire.

– OK, m'sieur. D'ailleurs je suis ici depuis deux heures, et ne serai relevé qu'à six.

– Tu te trompes, Jimmy. Tu restes ici tant que Frankie te dit pas de partir, vu?

– Vu, Frankie.

– Et si tu vois Mario, n'oublie pas de lui dire que je le cherche.

Bolan s'était déjà éloigné de quelques pas quand le type l'appela :

– Hé, Frankie, que se passe-t-il, au juste?

– Bien davantage que ce tu as besoin de savoir! cria Bolan. Bronche pas, t'as compris?

– Nom de Dieu, bien sûr que je ne bronche pas, répondit l'autre d'une voix moins assurée.

Bolan savait bien que Sonny l'Arpenteur et Jimmy Jenner allaient lui être d'un précieux concours pour effectuer avec succès sa pénétration dans la place forte ennemie. C'est bien pour cela qu'il les avait épargnés. Et, à bien y réfléchir, ils avaient autant de chances de sauver leur peau que Bolan lui-même. On était vendredi. La Fête se préparait, et l'Exécuteur n'avait pas l'intention de voir les vautours dévorer le cadavre de Leo Turrin. Non, Vendredi Vengeance ne durerait pas longtemps. Bolan fonçait droit au cœur de l'ennemi. Les vautours pouvaient toujours s'apprêter à festoyer!

CHAPITRE IV

La vieille baraque datait du début du siècle. Elle avait été conçue un peu comme un château, avec des douves asséchées sur trois côtés, et la Chesapeake Bay au fond. Pendant la Prohibition, elle avait servi de repaire aux trafiquants d'alcool, puis avait été transformée en lupanar de grand luxe, avant de tomber tout naturellement entre les mains d'Arnie Castiglione dit le Fermier, quand celui-ci s'était approprié son territoire de chasse, au tout début de la Seconde Guerre mondiale.

Avec un « patriotisme » admirable, Arnie avait converti la vieille piaule en centre de convalescence et de repos à l'usage des marins victimes du blocus de l'Atlantique. Et peu de temps après, comme on pouvait s'y attendre, le château croulant était devenu le siège de toutes les opérations véreuses de marché noir pour la Côte Est. Puis, à la fin de la guerre, comme les marchés parallèles déclinaient, la baraque avait été rénovée et transformée en place forte pour servir les ambitions que Castiglione nourrissait pour tout l'est du pays.

Ouais, la planque avait été le théâtre de pas mal de saloperies : cris d'agonie, tortures, âmes brisées...

Bolan n'avait jamais véritablement nettoyé ce territoire. Il s'était contenté d'intervenir rapidement au moment de la bataille de Washington. Mais c'est ailleurs qu'il avait combattu Arnie le Fermier. Et ce dernier était mort dans l'ombre d'un autre château tout aussi macabre, mais situé en terre lointaine. Pourtant Bolan était déjà venu ici... il connaissait l'histoire de la planque, tous ses dangers. Il ne s'aventurait donc pas à l'aveuglette, histoire de s'offrir une petite reconnaissance, vite fait, bien fait. Non, il allait droit vers la veine cave de l'ennemi, et c'était ici qu'elle se nichait, il le savait.

La réputation de Frankie-Bolan l'avait d'ailleurs précédé : le garde à la porte de derrière, la réplique identique de Sonny l'Arpenteur en un peu plus âgé, le dévisageait avec des yeux en bille de loto, visiblement gêné de se trouver en présence d'un personnage aussi considérable. Le pauvre mec était tellement nerveux qu'il tortillait ses mains, incapable de savoir qu'en faire.

— J' savais pas que vous arriviez, m'sieur, bredouilla-t-il. Faites excuse.

— Tant que je t'ai rien dit, t'es pas censé

savoir, mec, rétorqua Bolan avec un mince sourire. De quoi tu t'excuses ?

Les mains du gars gigotaient comme des folles maintenant :

— Ben c'est que... si j'avais su... je veux dire...

— Oh, tu veux parler du tapis rouge ! s'exclama Bolan avec un large sourire. Laisse pisser, c'est pas grave. Dis-moi un peu, où sont les autres ? Toujours au pieu ?

Le mec s'éclaircit la gorge avant de répondre :

— Larry Haggle vient seulement de rentrer avec... euh enfin... ils sont là-haut, je crois. Et m'sieur Santelli il s'est couché il y a quelques heures seulement. Alors je sais pas si...

— Avec qui est-il ?

— Qui ? Larry Haggle ? J'ai pas vraiment entendu son... un type de... Oh, vous êtes arrivé avec... ?

— Non, crétin ! Je te parle de Santelli !

— M'sieur Damon est ici, et aussi m'sieur La Carpa. Depuis une heure du matin, environ.

— Avec leurs hommes ?

— Pardi. Des équipes au grand complet, on dirait bien. On a logé les gars dans les planques au-dessus des garages.

— Vous leur avez refilé à bouffer ?

— Sûr, m'sieur. Ils ont eu tout ce qu'il leur fallait.

— Pas de sirop, tout de même, fit sévèrement Bolan.

Le gus eut l'air scandalisé :

— Pas de sirop, non! s'exclama-t-il. Surtout en ce moment.

— Qui est intendant ici?

— Carmen Reddi, m'sieur.

— Et quel est le programme des réjouissances?

— Comment, m'sieur?

— Ouais, andouille, le programme des réjouissances pour la journée? Reddi sait-il qu'il doit recevoir aujourd'hui une bonne centaine de gars supplémentaires? Il a prévu le nécessaire?

— Ça, m'sieur, je pourrais pas vous dire.

— Alors t'as intérêt à aller lui magner le cul. Dis-lui qu'il vienne me trouver s'il a un problème.

— Bien, m'sieur, fit le mec, la mâchoire pendante.

— Et grouille-toi, compris? aboya Bolan.

Le mec terrifié trouva enfin une solution pour ses mains tremblotantes : il les fourra vivement dans ses poches, et se précipita à l'intérieur de la baraque sans demander son reste.

Bolan quant à lui n'avait plus grand-chose à redouter. Il décida donc de pousser sa petite visite plus avant. Oui, à l'époque, la planque avait sans doute été assez grandiose. Mais elle tombait maintenant en décrépitude, faute d'en-

tretien. Les occupants occasionnels sacca-
geaient tout et comme Santelli n'habitait pas
là, personne ne faisait régner l'ordre. La piaule
lui servait seulement de forteresse, et le cas
échéant de retraite. Une partie du rez-de-
chaussée était complètement désaffectée, pas
de meubles, toutes les fenêtres fermées. Quant
à la partie habitable, elle était dans un triste
état : vieux rideaux mités, de vagues carpettes
élimées, des meubles bancals récupérés Dieu
sait où, et des sièges sur lesquels il valait mieux
ne pas s'asseoir. Deux exceptions pourtant à ce
délabrement général : la cuisine et la bibliothèque. La première était aménagée de façon
ultra-moderne, impeccablement tenue, et bourrée de provisions de toutes sortes. Quant à la
seconde, elle était décorée avec un luxe frisant
la somptuosité : dans un angle, un superbe
bureau ovale grand comme un piano de con-
cert ; au centre, une immense table de conférence en acajou massif entourée de fauteuils
assortis ; au fond, une table de massage avec
différents appareillages de gymnastique ; un
gigantesque écran de télévision encastré dans
le mur, deux, trois canapés en cuir, le tout posé
sur une moquette où l'on enfonçait jusqu'à la
cheville.

Bref, c'était bien là le siège de l'empire
souterrain de Thomas Santelli. Bolan le comprit au premier coup d'œil. Et à voir la disposition de cette pièce, on comprenait pourquoi

le reste de la baraque était aussi tristement
délabré : Santelli sans doute n'y passait jamais.
La bibliothèque avait son entrée privée sur le
jardin, avec un peu plus loin une aire de
stationnement et les garages. Et au-delà, bien
visibles par les larges portes-fenêtres, la Chesapeake Bay et le ponton d'amarrage. Bref, la
piaule pouvait bien s'écrouler, Santelli ne s'en
apercevrait pas.

D'ailleurs il ne la verrait plus jamais.

L'ancien seigneur de Baltimore gisait affalé
dans une mare de sang frais qui tachait son
somptueux bureau ovale. Il portait pour tout
vêtement une paire de chaussettes et un peignoir de soie. Et il avait la gorge tranchée bien
proprement d'une oreille à l'autre. Derrière lui,
tournant le dos à la pièce, un homme de petite
taille fouillait conscieucieusement un coffre-
fort scellé dans le mur.

En un quart de seconde, Bolan avait fait
jaillir son Beretta de sa poche. Puis brusquement le spectacle qu'il avait sous les yeux eut
un sens pour lui : l'homme debout devant le
coffre-fort n'était autre que Leo Turrin. Un Leo
impeccable, droit comme un i et sans le moindre cheveu décoiffé.

Il posa un regard froid sur l'individu qui
l'interrompait dans son travail, puis ses yeux
s'abaissèrent sur le canon noir, du gros soufflant, et il déclara d'une voix très douce, presque triste :

– Alors on n'a pas su attendre, hein?

Eh non, c'était l'évidence.

Et à l'évidence aussi, quelqu'un avait trouvé la veine cave de l'ennemi, juste avant Mack Bolan.

CHAPITRE V

La mort était très récente, elle remontait à peine à cinq minutes. Le coffre-fort était vide, et les tiroirs du bureau avaient été retournés. Mais rien n'avait été déplacé, et les dossiers soigneusement empilés pompaient doucement le sang tout frais. Quant au mec, il semblait avoir été installé là très méticuleusement, pour que l'on puisse plus commodément lui trancher la gorge, un peu comme l'on sacrifie un agneau sur l'autel.

L'hypothèse la plus plausible, c'était que Santelli avait été contraint de s'asseoir à son bureau, sous la menace d'un couteau. Il avait sans doute ouvert le coffre sans discuter, car il n'y avait pas trace de lutte dans la pièce :

– Tire-toi de là en vitesse, Leo! grommela Bolan. Va te planquer!

Le petit gars soupira :

– C'est quand même pas toi qu'as fait le coup?

– Non. Pas vraiment mon style. Quelqu'un s'en est chargé pour moi.

– Et comment t'as compris que c'était pas moi?

– Pas ton style non plus, rétorqua laconiquement Bolan. Maintenant trisse-toi.

– Procédons plutôt dans l'autre sens, tu veux? protesta Leo Turrin. Tu te casses tant qu'il est encore temps et moi je m'occupe de la viande froide. La planque risque de sauter d'une minute à l'autre. Tommy a regroupé la moitié de ses hommes ici. Quand on saura la nouvelle, ça va hurler dans les chambrées.

– Je m'en doute. La Carpa et Damon sont ici également. Tu les as vus?

Turrin secoua la tête :

– J'ai vu personne sauf le gus qui garde la porte et Larry Haggle. C'est lui d'ailleurs qui m'a amené jusqu'ici.

– Et où est-il maintenant?

– Il a un appartement au premier étage. A peine arrivé, il s'est trissé sous prétexte d'un coup de fil urgent. L'avait paraît-il des choses importantes à dire aux autres lieutenants de Santelli. Il m'a dit d'aller me faire un café à la cuisine, puis d'attendre Santelli dans son bureau. Or t'as sans doute remarqué que le bureau communique avec la cuisine. Bref, j'avais pas tellement envie de café.

– Tu dis que c'est Larry Haggle qui t'a envoyé ici?

– Ouais. Bizarre, non?

— Tu parles! souffla Bolan. Qui est le premier en liste pour la succession de Santelli?

— Pas Larry en tout cas. Tommy en avait fait son *consigliere*, et le maintenait fermement à sa place. Larry a une formation de juriste et de financier. Il s'appelle Weintraub de son vrai nom. Donc tu vois qu'il n'avait aucune chance.

Ouais, Bolan connaissait bien Larry « Haggle » Weintraub. On murmurait que c'était lui qui tirait les ficelles pour Santelli, et il avait paraît-il, des relations dans le monde entier, des entrées particulières dans les milieux financiers suisses.

— Je dirais, reprit Turrin, que la bataille va se jouer entre Damon et La Carpa. Ce sont les deux plus anciens, et les plus retors. Damon a la tronche, La Carpa les muscles. Et tous les sous-chefs leur lèchent les bottes et s'en remettent à eux pour maintenir la paix sur leur territoire. Ouais, si j'avais des pronostics à faire, je dirais Damon ou La Carpa.

— Maintenant va rejoindre les autres, Leo, fit Bolan. Ils crèchent dans les logements au-dessus des garages. Fais comme si de rien n'était. Tu viens d'arriver, et comme tu t'emmerdes; tu cherches une âme sœur pour te faire un brin de causette. A ton avis, Santelli est toujours au pieu, et son *consigliere* est fort occupé à une besogne quelconque. Laisse-les découvrir tout seuls la viande froide.

Turrin eut un sourire finaud avant de répliquer :

– OK, c'est pas une mauvaise idée. Que renifles-tu au juste ? Quelqu'un essaierait de me piéger ?

– Pas impossible, ouais. Quelqu'un avec un bras très long, sans doute.

– Ça se pourrait bien. Le scénario classique en tout cas.

– Peut-être bien, grommela Bolan, mais il risquerait de marcher plein pot, si nous restons là tous les deux comme des cons à bayer aux corneilles.

– Je vois ce que tu veux dire, fit négligemment le Fédé. Et toi, quelles sont tes intentions ? Tu pars ou tu restes ?

– Je reste. Pour un temps, au moins.

Turrin dévisageait son ami de la tête aux pieds, notant le costard impeccable, et le fin mouchoir de soie noué autour du cou :

– On dirait bien que t'es venu pour rester, murmura-t-il. A propos, t'es qui, pour la compagnie ?

– Je ne suis pas venu pour rester. Mais j'ai pris mes dispositions, le cas échéant. Et tu peux m'appeler Frankie.

– Frankie, le gagnant, ça c'est sûr, marmonna Turrin en sortant doucement de la pièce.

Gagnant peut-être, mais fallait quand même pas le dire trop vite...

Frankie en effet était un personnage presque

légendaire dans le Milieu, où il avait acquis sa réputation en tant que prétendu « As noir » – en d'autres termes, un garde-chiourme personnel de la *Commissione,* un homme doté d'une puissance et d'une autorité illimitée. A une certaine époque, on chuchotait même que les As noirs pouvaient temporairement relever de ses fonctions n'importe quel *capo,* quand bon leur semblait, et même limoger un boss si cela leur paraissait opportun.

Et de fait, il fut un temps où les As avaient bel et bien le bras long et la poigne solide. Ils constituaient alors une force d'élite super-secrète, attachée à la *Cosa Nostra* elle-même, et non à telle ou telle famille en particulier, et ils étaient chargés de faire respecter et exécuter les décisions de la *Commissione* – le conseil national des chefs suprêmes – agissant comme une sorte de Gestapo autonome qui réglait les litiges entre familles, et assurait l'équilibre entre les territoires, de façon à maintenir la stabilité de l'Organisation tout entière. A cette époque, en théorie du moins, un chef ou une famille n'était pas libre de mener sa politique avant de l'avoir fait approuver par la *Commissione.* Et personne n'avait intérêt à agir en douce. Les As étaient là pour veiller à ce que l'on ne joue pas dans l'ombre, et ils faisaient leur boulot à merveille, d'autant que – comble d'astuce ou d'ironie – personne ne savait réellement qui ils étaient. Pas même les chefs eux-mêmes !

A peine croyable, c'est vrai, mais cela faisait encore partie de ces trucs retors et vicieux si caractéristiques du monde dingue de la *Mafia.* Il fut un temps, bien sûr, où les As étaient soigneusement sélectionnés et élus par le Conseil des Chefs, mais la tradition était plus ou moins tombée en désuétude. D'abord les chefs les plus anciens étaient morts, remplacés au Conseil par de plus jeunes. Puis certains jeunes avaient disparu à leur tour, sans que leur siège au Conseil soit parfaitement et inconditionnellement validé. Il fallait bien assurer une relative continuité du pouvoir, si l'on voulait que l'Organisation survive et prospère.

Du moins c'était là l'argumentation avancée et, peu à peu, à force de truquage et de roublardise, un vieillard particulièrement futé était devenu le seul lien entre le Conseil des Chefs, et la Société Secrète de plus en plus indépendante et de plus en plus puissante qu'il était censé régir.

Puis quand ce vieillard mourut, l'autonomie de ladite Société devint un fait officiellement reconnu.

Les As étaient dotés d'un numéro et d'un nom de code, qui pouvaient d'ailleurs changer, avec une fréquence parfois surprenante. Ils pouvaient également changer de visage, et l'on disait que certains parmi les plus anciens avaient subi tant de fois les effets de la chirurgie esthétique qu'eux-mêmes ne se souvenaient plus de leur vrai visage. On en parlait bien sûr comme d'une plaisanterie, mais qui contenait tout de même un fond de vérité.

Les As, pour se faire reconnaître, avaient des cartes d'identification semblables à des cartes à jouer, mais coulées dans un plastique très dur, avec, gravés au dos, leur nom et numéro de code, la couleur de la carte indiquant leur rang. Les As noirs avaient évidemment des cartes marquées trèfle ou pique, tandis que les As rouges avaient des cœurs ou des carreaux. Les As rouges ne pouvaient pas régler les problèmes surgissant à l'intérieur d'une famille, sans le consentement préalable du chef. Seul un As noir pouvoir contrer, supplanter, ou même limoger un *capo*, un capo étant un chef qui siégeait aussi à la *Commissione*.

Dans ce monde indéniablement sauvage et sans scrupules, il régnait pourtant une sorte d'éthique, un peu comme le code naturel qui régit les sociétés animales les plus élémentaires, où certains signaux sont inlassablement transmis et réceptionnés, assurant ainsi un semblant d'ordre visant à la survie de l'ensemble de l'organisation. Dans le monde de la Mafia, ces signaux n'étaient autres qu'une forme de protocole extrêmement formaliste respecté par tous et accepté de façon absolue et dogmatique. C'est seulement ainsi qu'une société de crapules pouvait espérer survivre et prospérer. Du reste ceux qui avaient créé et structuré l'actuelle Mafia avaient appris la leçon en analysant les microsociétés de banditisme qui sévissaient autrefois, en Europe, particulièrement sur les pourtours de la Méditerranée.

Quoi qu'il en soit, la Mafia était régie par une certaine éthique comportant tout un rituel et un protocole très sévères, complètement anachroniques pour un homme d'affaires du XXe siècle. C'était grâce à cette éthique que les As avaient pu exister et tenir la place qui avait été la leur. C'était elle aussi qui avait permis à Mack Bolan d'assener à la Mafia les coups décisifs qui devaient l'anéantir.

Trois grandes lois régissaient encore l'Organisation : le respect inviolable du secret, l'autorité absolue conférée par le rang, et l'utilisation illimitée du pouvoir, sous n'importe quelle forme pour atteindre un but d'intérêt général. Or si ces trois lois expliquaient la prospérité apparente de la Société Secrète, c'est grâce à elles aussi que l'on pouvait espérer la combattre.

Les As, et particulièrement les As noirs étaient des individus remarquables, de ceux qui avaient permis la création des vieux mythes de la Mafia. Ils étaient choisis pour leur intelligence, leur résistance physique, et leurs qualités de persévérance et d'obstination. C'est tout cela qui faisait qu'on les glorifiait.

Et Frankie, bien sûr, était un As noir.

Il avait du reste, bel et bien existé, à une certaine époque, puis Mack Bolan avait débarqué, et l'avait supprimé avant de « prendre sa place ». Le rôle était exactement à la mesure de l'Exécuteur. Et par conséquent il le jouait avec une aisance prodigieuse d'autant que la mascarade ne durait jamais longtemps. Il avait même ajouté certains épisodes particulièrement glorieux à la légende du vrai Frankie et ce scénario qu'il connaissait maintenant sur le bout du doigt, l'avait beaucoup aidé dans certains moments cruciaux de sa Guerre.

Pourtant c'est Bolan lui-même qui avait mis un terme à la toute puissance des As au sein de la Mafia, un jour triste et pluvieux à New York. Ce jour-là; il avait brutalement enterré tous les mythes du Milieu dans une vaste fosse commune. C'était sans doute le coup le plus mortel qu'il ait jamais porté, celui qui permettait d'espérer que désormais la *Costa Nostra* ne se relèverait plus.

A la suite de ce raid meurtrier au cœur même de la Mafia, la Société Secrète avait perdu toute autonomie, et les As, ceux de l'origine, avaient disparu. Les survivants de cette époque en étaient réduits à jouer les héros déchus, haïs par les générations montantes auxquelles ils n'osaient révéler leur véritable identité, et tenus de se cantonner sur le territoire de New York.

Tous, sauf un peut-être : Frankie, qui était le seul As à avoir survécu favorablement dans le livre des mythes.

Frankie était OK.

Frankie avait « essayé de sauver les meubles ».

Frankie n'avait jamais trahi.

Mais comment Frankie s'en tirerait-il à Baltimore avec le cadavre d'un boss sur les bras, et une crise meurtrière pointant dangereusement à l'horizon de ce jour de fin du monde?

Il allait le savoir sans tarder!

Leo n'avait pas quitté la pièce depuis trente secondes, que déjà le chef de troupe de Santelli, le redoutable Mario Cuba, passait la tête par l'entrebâillement de la porte, et regardait Bolan avec une lueur de défi dans ses petits yeux porcins.

– Salut, Frankie, gloussa-t-il, paraît que vous me cherchiez?

Le mec n'avait jamais vu « Frankie » de sa vie, bien sûr. Mais le « protocole » fonctionnait, pour le moment du moins.

– Salut, Mario, répondit Bolan d'une voix de marbre. Entre donc. Installe-toi confortablement. Tu vas recevoir un choc.

CHAPITRE VI

Mario Cuba était une sorte de gorille humain, une montagne avec une bonne tête de moins que Bolan, et sans doute plusieurs dizaines de kilos de plus. Son crâne chauve luisait comme du métal bien poli, et les muscles de son cou et de ses épaules étaient tellement énormes que quand le gars voulait regarder de côté, il devait faire pivoter son torse tout entier. Pour cette raison sans doute, il avait un regard extrêmement mobile, et ses petits yeux tournaient sans arrêt pratiquement à 90°, lui procurant un vaste champ de vision, sans avoir à bouger la tête.

Quand le molosse aperçut le cadavre de son patron, ses épaules s'affaissèrent imperceptiblement, et ses deux pognes monstrueuses saisirent brutalement les extrémités du bureau, le gars cherchant par là soit un appui, soit un réconfort, impossible à déterminer. Bolan crut un instant qu'il allait balancer le meuble et son chargement contre le mur, mais les deux bat-

toirs se trouvèrent soudain agités d'un curieux
tremblement, et disparurent furtivement dans
la ceinture élastique du pantalon bouffant dont
était vêtu le gorille.

Son regard fébrile passa sur Bolan une ou
deux fois avant de tourner en rond sur le
plafond pendant plusieurs minutes. Enfin
Mario grogna :

— C'est qui qu'a fait une saloperie pareille ?

— Cherchons d'abord le pourquoi, répliqua
Bolan d'une voix apaisante. Cela nous amènera
sans doute à trouver qui.

— Pourquoi quoi ? gronda le gorille en rou-
lant ses billes plus frénétiquement encore.

— Pourquoi pouvait-on souhaiter la mort de
Tommy, expliqua patiemment Bolan, comme
s'il s'adressait à un enfant de cinq ans. Qui
voulait le refroidir, Mario ?

Le molosse toujours égaré s'approcha lour-
dement du mur, près du coffre-fort, et le cogna
sauvagement de ses deux pognes. La pièce tout
entière en fut ébranlée, et le lustre du plafond
chavira dangereusement. Mario le gorille se
retourna ensuite sur ses courtes pattes pour
jeter un regard à Bolan, puis se remit à cogner
le mur comme un dément.

— Continue, si ça te défoule, grommela Bolan
d'un ton dur. Mais je ne pense pas que Tommy
en éprouve du réconfort.

A ces mots, Cuba pivota et pour la première
fois depuis son entrée dans la pièce, ses yeux
cessèrent de tournicoter :

– Qu'est-ce que vous foutez ici, nom de Dieu de putain de merde? demanda-t-il assez calmement.

– On m'a envoyé pour jeter un œil à l'investissement. Mais j'ai raté le train, on dirait.

– Peut-être oui, mais peut-être non, rétorqua le gars qui devenait franchement mauvais. Vous avez débarqué quand?

– Va te faire foutre, Mario, rétorqua Bolan d'une voix glacée. Je crois que tu perds un peu les pédales. T'essaie tout de même pas de me coller ce cadavre sur le dos, non?

Bolan devait se méfier de ce corps simiesque et monstrueux. Quand il le voulait, Mario savait être vif comme l'éclair. En moins de temps qu'il ne faut pour le dire, il avait sauté sur Bolan, pognes en avant, cherchant sa gorge. Mais l'Exécuteur avait anticipé son geste, et trouvant immédiatement les deux yeux de son assaillant, il y enfonça les pouces aussi profond que possible, tout en lui assenant un sacré coup de genou dans le bas-ventre.

La résistance physique a des limites, les yeux sont des yeux, et le bas-ventre, le bas-ventre, quel que soit le connard qui les porte. Le gros tas de muscles s'effondra illico sur le plancher avec d'abord un hurlement, puis un grognement, et enfin tout juste un soupir. Alors seulement, il cessa de s'agiter.

Bolan remit un peu d'ordre dans son costard à cinq cents dollars, redressa le fin mouchoir de soie autour de son cou, et grommela :

– Bougre de con!

Puis il sortit sur le pas de la porte pour appeler de l'aide.

Sonny l'Arpenteur et le portier rappliquèrent instantanément comme s'ils n'attendaient que ça.

– Nettoyez-moi ce bordel! aboya Bolan. Et quand tout sera nickel, venez me chercher. Je serai avec Larry Haggle.

Sans attendre de réponse, il s'élança dans les escaliers qu'il grimpa quatre à quatre.

L'appartement privé était fermé à clé. Bolan sortit son petit passe-partout, tripota la serrure une seconde, et la porte s'ouvrit sans bruit.

Là encore, le décor détonnait avec le délabrement général de la baraque. Ici, c'était le règne du cuir et de l'acier, avec des murs entièrement tapissés de bouquins et des lampes modernes judicieusement placées. Sur les murs latéraux, des portes laissaient supposer que l'appartement comportait d'autres pièces de chaque côté.

Larry Haggle affalé dans un énorme fauteuil de cuir à dossier inclinable, près de la fenêtre, parlait au téléphone. Il redressa vivement son siège, jeta un regard rapide à l'intrus, puis il bondit sur ses pieds, lâchant son téléphone.

Bolan entrouvrit sa veste pour laisser voir son artillerie, et murmura :

– Hum, hum.

Weintraub se figea dans une position bizar-
roïde, les genoux fléchis, mi-assis, mi-debout :

– Vous préférez quoi ? grogna-t-il.

– A vous de choisir, rétorqua charitablement
Bolan.

Le gars se laissa retomber sur son siège sans
quitter Bolan du regard. Un vrai regard de
requin royal. Il avait la réputation d'être le
meilleur « négociateur » en affaires, parce qu'il
traitait toujours sur ses propres bases, dépouil-
lant ses victimes en prenant bien soin de
tourner la loi à son avantage. Ouais, Weintraub
était le plus fort, pas de doute. Avec ça, pas mal
de sa personne : la quarantaine, mince mais
encore ferme, et une bonne dose d'énergie
sous-jacente, que révélait le mouvement de ses
petits yeux rapides et malins.

– Qui diable êtes-vous ? demanda-t-il, sans
agressivité, mais sans complaisance non plus.

Bolan s'approcha de son siège, et lui tendit
sa carte d'identification. Le requin y jeta un
rapide coup d'œil, et reprenant le téléphone,
dit à celui qui patientait à l'autre bout :

– Je vous rappellerai.

Puis il coupa la communication, dévisagea
lentement Bolan comme pour le soupeser, et
se remit à composer un numéro.

– Vous ne m'en voudrez pas de procéder aux
vérifications d'usage, n'est-ce pas ? fit-il après
un regard aigu sur la carte plastifiée.

– Bien sûr, fit aimablement Bolan. Précaution indispensable.

Le gars eut un petit gloussement de gorge, et raccrocha.

– Considérons que c'est chose faite, dit-il. J'aurais dû comprendre qui vous étiez, sitôt que vous êtes entré. Pas de doute, vous avez du nerf, je le concède.

– Pourquoi du nerf? demanda Bolan de son ton le plus mondain.

– Faut du courage pour s'aventurer hors de votre territoire, Frankie, expliqua paisiblement Haggle. A votre place, faudrait me payer cher pour risquer mes guêtres hors de Manhattan.

– Le nerf n'a rien à voir là-dedans, observa Bolan. Je fais seulement mon devoir. Pouvez-vous me rendre ma carte?

Le rusé la lui tendit, et Bolan la replaça soigneusement dans son portefeuille.

– Quel *devoir*? ricana Weintraub. J'ai du mal à vous prendre au sérieux, vous autres héros déchus. Plus personne ne vous admire, plus personne ne vous craint. Pourquoi ne pas rester chez vous. Nous nous débrouillons fort bien tout seuls.

Weintraub, on s'en doutait, n'était pas un frère de sang, et par conséquent l'éthique et le protocole lui importaient peu. Bolan devait donc trouver autre chose pour se faire respecter.

– Nous ne travaillons pas pour nous faire aimer, Haggle. Et jamais nous n'avons rien fait par complaisance. Aujourd'hui, il se trouve que l'on m'a envoyé ici. Alors me voilà. Maintenant

ôtez-moi cette morgue qui vous salit le visage,
sinon je vais devoir le faire moi-même.

Le juriste pâlit, mais ne broncha pas. Il se
remit lentement sur ses pieds, puis brusquement sourit et prit une cigarette.

– Oh, bon Dieu, à quoi ça sert, tout ça?
grommela-t-il. Arrêtons de faire les idiots.

– Je suis entièrement d'accord avec vous,
approuva Bolan. Surtout quand on sait que le
cadavre de votre patron gît affalé sur son
bureau, dans la pièce juste sous celle-ci.

La main qui tenait la cigarette se figea subitement. Le mec était très fort pour ce genre de
mouvement brusquement interrompu : Bolan
l'avait déjà remarqué. Sans doute une habitude
un peu théâtrale qui lui servait quand il plai-
dait devant la cour.

– Répétez! souffla-t-il.

– Quelqu'un a tranché la gorge de Tommy. Il
y a moins de dix minutes. Mario est avec lui en
ce moment-même, mais votre boss est aussi
mort qu'un tas de pierres, Haggle.

Une sorte d'émotion authentique encore
qu'indéchiffrable voila un instant le regard du
requin, puis il se ressaisit, tira une bouffée de
sa cigarette, et déclara :

– Excusez-moi un instant, Frankie.

Il se dirigea vers sa table-bureau, et,
appuyant sur le bouton de l'interphone,
ordonna très calmement que « quelqu'un
arrive le plus vite possible ».

Coïncidence ou pas, c'est le moment que

choisit Carmen Reddi pour frapper à la porte avant d'entrer dans la pièce.

Reddi était l'intendant de la planque, et l'homme chargé de sa sécurité. De fait il ressemblait davantage à un maître d'hôtel de restaurant italien qu'à un buteur : il était très grand, mince et impeccable dans son costume sombre, chemise blanche et cravate noire. Il avait un tel air de dignité qu'il en paraissait presque hautain. Il dévisagea Bolan jusqu'à ce que celui-ci baisse son regard. Alors seulement il détourna les yeux pour fixer le *consigliere* :

– Monsieur le conseiller... Vous êtes au courant, je suppose...

La voix correspondait tout à fait au personnage.

Celle de Weintraub résonna triste et lointaine, quand il répondit :

– Oui, je suis au courant, Carmen. On m'a dit.

Puis après un geste de la main un peu théâtral, comme s'il implorait un obscur pardon, il reprit :

– Ecoutez, laissez-moi un instant. J'ai besoin de me ressaisir. Je vais descendre dans cinq minutes. Que personne ne touche à quoi que ce soit, en bas.

– Trop tard, répliqua Reddi, avec un coup d'œil aigu à Bolan. Il a dit de tout nettoyer.

– Pourquoi ? s'écria Weintraub en regardant durement Bolan.

– Parce que la scène était parfaitement

dégueulasse, répliqua paisiblement celui-ci. Et parce que c'est moi qui tiens les rênes, dorénavant. Tommy était un *capo*. Il s'agit donc de nos affaires. Et se tournant vers Reddi :

— Y trouvez-vous quelque chose à redire, Carmen ?

Le mec vacilla comme s'il avait reçu un coup de poing mal placé, mais sa voix était calme et détachée lorsqu'il demanda :

— Que faisons-nous du corps, Frankie ?

Bon, l'intendant ne discutait pas. Frankie tenait les commandes.

— Faites-lui un brin de toilette, puis habillez-le. Après quoi, vous le mettrez dans un endroit frais. Vous avez bien un grand freezer, non ?

Reddi inclina doucement la tête :

— Ce sera fait, Frankie. On va vider un des surgélateurs. Dites... J'ai envoyé chercher un docteur... Pour Mario... J'ai bien fait, j'espère ?

— Pourquoi pas, si t'en as trouvé un pas trop fouineur, répondit Bolan conciliant.

— Nous en avons toujours un ou deux particulièrement discrets sous la main, lui assura Reddi.

— Il est comment, maintenant ?

— Que veut dire tout cela ? coupa Weintraub. Que se passe-t-il avec Mario ?

C'est Reddi qui prit la parole, et il le fit avec beaucoup d'autorité :

— Difficile à dire. Il a les yeux qui pissent le sang. Sinon, il a l'air pas trop mal en point. Et se tournant vers Frankie-Bolan :

– L'a dit de vous dire qu'il s'excuse. Il a vu rouge, qu'il croit, et il ne savait plus ce qu'il faisait. C'est bien possible. Il adorait Tommy.

Bolan hocha doucement la tête, et congédia l'intendant d'un simple coup d'œil. Reddi recula jusqu'à la porte et sortit sans bruit.

– Bon sang de bois, haleta Weintraub, vous croyez que c'est *Mario* qui a fait le coup?

– Personne n'a rien dit de tel, pour l'instant, aboya Bolan.

La situation commençait à ressembler à un vrai vaudeville : A peine Reddi avait-il disparu qu'une autre porte s'ouvrit, laissant le passage à une ravissante jeune femme complètement nue. Celle-ci à l'évidence sortait de sa douche. Ses cheveux blonds étaient encore tout dégoulinant d'eau, et elle achevait d'essuyer son corps particulièrement voluptueux avec une grande serviette éponge. Elle avança de quelques pas dans la pièce avant de s'apercevoir de la présence de Bolan. Elle lui lança alors un regard de bête terrifiée, et se dissimulant de son mieux derrière la serviette, battit précipitamment en retraite dans la pièce d'où elle était venue.

– Que diable signifie cette apparition? demanda Bolan à Weintraub.

Le gars ignora la question. Il avait autre chose en tête :

– Qu'est-il arrivé à Mario? insista-t-il. Il est blessé?

– Il a seulement un peu perdu la boule.

– D'accord, mais qu'a-t-il aux yeux ? Que voulait dire Carmen ?

– Mario a essayé de m'attaquer, expliqua Bolan le plus naturellement du monde. Il était fou de chagrin, j'imagine. Et comme on ne peut pas raisonner avec un type comme. Mario, j'ai dû employer la force.

– Et vous l'avez mis KO ! souffla l'avocat en levant les yeux au ciel. Seigneur Dieu ! Mario KO. C'est moi qui perd la boule ! Franchement, poursuivit-il de plus en plus violent, je me refuse à croire quoi que ce soit avant d'avoir vu Tommy moi-même. Et s'affalant dans son fauteuil, il se prit un instant le visage dans les mains, comme pour récupérer un peu de maîtrise de soi. Puis il se leva et alla déboucher une bouteille de vodka Eristoff.

– Pouvons-nous parler d'homme à homme ? demanda-t-il soudain, la voix parfaitement calme et contrôlée, à nouveau, tout en se servant un grand verre du liquide incolore.

Bolan approcha un siège de son fauteuil, se versa aussi un verre de vodka et répondit :

– Je l'espère bien. Je n'aime pas les gamins, Haggle.

– Vous devez savoir une chose : quand on apprendra la mort de Tommy, il ne faut pas vous attendre à un déluge de larmes et de lamentations de la part de ses hommes.

– Vraiment ?

– Non. Tommy Santelli n'était pas le genre

de boss auquel ses troupes vouaient un amour immodéré.

– Où voulez-vous en venir?

– Vous êtes ici pour mener une enquête officielle?

– Bien sûr, monsieur le conseiller.

– Alors permettez-moi de vous faire une suggestion : Allez vous entretenir avec Damon et La Carpa. Tommy avait une énorme qualité : il savait manipuler des hommes plus intelligents et plus puissants que lui, et il les pliait à sa vo...

– Vous parlez sans doute d'individus comme vous?

– Evidemment. Je suis un excellent exemple. Voyez-vous, à partir de la position que j'occupe, monsieur Talifero, je...

– Je ne suis pas un Talifero, coupa aimablement Bolan.

– Mais si, voyons! Pas au sens strict du terme, bien sûr, mais dans son sens imagé. Et croyez-moi je considère que c'est un compliment. Les Talifero étaient des hommes de fer!

– Merci, répliqua galamment Bolan. Mais je n'apprécie pas vraiment d'être assimilé à eux. Ces gars-là étaient d'ignobles ordures qui n'aimaient ni ne respectaient rien.

– Et vous, qu'aimez-vous? s'enquit doucereusement Weintraub en regardant intensément son interlocuteur.

– J'aime ce que je fais, tout simplement, répondit Frankie-Bolan.

– Hum, hum, décidément, vous autres n'évoluez guère avec votre temps. Il semble que vous soyez les derniers romantiques d'une époque à jamais révolue! Vous ne comprenez donc pas que vous n'avez plus de mission, plus de rôle, et que vous êtes morts?

– Ma mission existera aussi longtemps que je vivrai, rétorqua le super As noir. Par contre Santelli, lui, est mort, et rien ne pourra le faire revivre. C'est la seule chose qui m'intéresse, pour le moment.

– *Le roi est mort, vive le roi!* c'est ça? ricana Weintraub.

– Plus ou moins.

– Bon, il faudrait peut-être que j'aille jeter un œil au cadavre. Oubliez tout ce que je vous ai dit. Les choses ne sont pas si sombres... Mais que voulez-vous, la nouvelle était un peu brutale... En tout cas, je suis heureux de vous avoir ici. Sinon, c'est moi qui aurais dû prendre les choses en main. Je suis ravi que vous le fassiez à ma place.

Et se levant :

– Je descends...

– Qui est la jeune femme? coupa Bolan.

Weintraub lança un regard irrité vers la porte :

– Faites-moi plaisir : laissez-la à l'écart de tout ça.

– Je ne laisse jamais personne à l'écart, rétorqua froidement Bolan.

– Voyons, Frankie, je vous le demande personnellement : Vous l'avez bien vu, ça n'est qu'une poule.

– N'empêche qu'elle se trouve ici, dans la place forte de Tommy, Larry, fit observer Bolan sur un ton réprobateur.

– Tommy était au courant, et il était d'accord.

– Mais maintenant, il est mort.

– C'est vrai, mais enfin, que diable, elle n'a rien à voir dans tout ça. Je vous l'ai dit, ça n'est qu'une poule. Elle est bien roulée, elle chante, elle danse, et c'est sans doute le meilleur coup que j'ai connu depuis des années... Mais elle est parfaitement claire. L'a pas plus de cervelle que la moitié d'un oisillon. Si vous voulez des interlocuteurs valables, allez donc trouver Damon et La Carpa. A votre place, c'est par là que j'irais renifler, et sans tarder encore !

– Devrai-je le leur dire ? ironisa Bolan.

– Laissez tomber ! s'exclama brutalement l'avocat en sortant vivement de la pièce.

Tu parles si Bolan allait laisser tomber ! La poule en question n'était autre que Toby Ranger, membre de la police fédérale, appartenant à un groupe d'action super clandestin. La dernière fois que Bolan l'avait croisée, c'était à Nashville (1). Elle était alors sur une histoire de trafic de drogue.

---

(1) Voir l'Exécuteur nº 32 *Hit Parade à Nashville.*

Bolan passa sans bruit dans la pièce à côté, en fermant soigneusement la porte derrière lui.

Toby se précipita dans ses bras avec une fougue que sa nudité n'entamait en rien.

— Mon Dieu, comme je suis heureuse de vous voir! murmura-t-elle. J'ai vraiment réussi, ce coup-ci.

Qu'avait-elle donc réussi qu'elle n'ait réussi mille fois auparavant? Toby était un flic fantastique, et pour remplir ses missions, elle avait toujours tout fait et avec succès...

— Vous avez encore du sang dans les cheveux, mon petit, observa Bolan d'un ton un peu bourru. Vous devriez reprendre une douche.

Il était encore temps... le jour venait seulement de se lever sur l'assemblée des vautours.

CHAPITRE VII

Toby Ranger et Mack Bolan se connaissaient depuis bien longtemps. Ils s'étaient d'abord rencontrés à Las Vegas, dans l'enfer de la neuvième offensive de Bolan contre la Mafia. Toby, à l'époque, dirigeait un groupe de chanteuses de music-hall, les Ranger Girls : des mômes superbes qui en réalité avaient bien autre chose en tête que de séduire par leur talent cette ville gagnée par le stupre et la folie de l'argent. Elles auraient pourtant pu faire une brillante carrière dans le spectacle, si elles l'avaient voulu, mais leurs ambitions étaient d'un tout autre ordre. Les quatre Ranger Girls, Toby Ranger, Georgette Chableu, Sally Palmer et Smiley Dublin, étaient en fait des agents fédéraux camouflés, qui dans le cadre d'un programme super secret, s'efforçaient de déterminer jusqu'où allait l'emprise du syndicat du crime dans l'industrie du spectacle.

Elles étaient assistées dans leur mission par un comique génial désopilant – un certain

Tommy Anders (né Androsepitone) – qui, sur
scène faisait mourir de rire son public en
mimant des sketches ridiculisant la Mafia, et
qui la combattait activement sitôt qu'il quittait
les planches. A tous les cinq, ils avaient abattu
un sacré boulot, à Las Vegas. Puis on les avait
expédiés ailleurs, pour démêler des problèmes
plus délicats, et avec Carl Lyons, un autre vieux
coéquipier de Bolan, flic à Los Angeles, ils
avaient fini par former une équipe, le GOC, qui
n'était autre qu'un groupe d'opération clandestin soutenu par les autorités fédérales, et
chargé des missions les plus dangereuses.
Intervenant chaque fois que la sécurité natio-
nale était en péril, ils ne s'intéressaient donc
pas uniquement à la Mafia. Mais comme celle-
ci empiétait sur pas mal de domaines, menaçant l'équilibre de l'Etat, il ne fallait pas s'étonner que Bolan tombe assez souvent sur des
membres du GOC, quand il menait ses actions
meurtrières dans le Milieu. En fait, les terrains
de chasse se recoupaient fréquemment.

Après l'épisode de Las Vegas, Bolan et les
membres du GOC avaient travaillé main dans
la main à de nombreuses reprises. La dernière
fois c'était à Nashville où dans une offensive
groupée, ils avaient fait une sacrée fête à Nick
Copa, l'homme que l'on donnait pour le futur
Roi de l'héroïne. Bolan et ses amis avaient
laissé Carl Lyons à Nashville, après l'avoir
judicieusement placé au sein même de l'organisation de Copa. C'était une des rares occa-

sions où Bolan avait laissé la vie sauve à un chef mafioso, alors qu'il aurait facilement pu l'abattre; et il n'avait agi ainsi que pour faciliter le travail de ses amis du GOC.

Aujourd'hui pourtant, la situation ne manquait pas de piquant : Bolan en effet s'était vu offrir par le gouvernement un service d'action clandestine super secret, et qui devait à l'évidence remplacer le GOC. Si tout allait bien, dans deux jours, il serait le patron de Toby Ranger...

Des quatre Ranger Girls, il n'en restait plus que deux aujourd'hui : Toby et Smiley. Compte tenu des risques de leurs missions, ça n'était pas si mal.

Mais si le flair de Bolan ne le trompait pas, l'une des deux survivantes avaient des chances de ne pas faire de vieux os. Toby était venue à Baltimore pour suivre le filon qui partait de Nashville. Apparemment, une fois que l'organisation de Copa avait dûment moissonné le pognon fait sur la drogue, on l'acheminait en douce à ce cher Tommy Santelli. C'est du moins ce que soupçonnait le GOC. Bolan du reste, n'en était guère surpris. Depuis quelques temps déjà, il se demandait jusqu'où allait l'empire de Santelli. Il arrivait régulièrement à Baltimore un sacré paquet de fric et pas d'un seul endroit encore! De quoi faire réfléchir un gars qui a le sens de la logique.

Toby avait donc suivi le train du flouze depuis Nashville. Elle était arrivée à Baltimore quelques jours plus tôt, et avait rapidement trouvé le chemin du pieu de Larry Haggle. Santelli à ce moment-là, était encore en Floride, et à Baltimore, l'atmosphère était à la détente. Mais le coup de Floride avait déclenché une réaction brutale, ici, et l'on avait assisté à pas mal d'allées et venues en voiture, en bateau ou même en hélicoptère. D'après Toby, le jeudi en début de soirée, la vieille piaule avait vu défiler tout ce que le secteur comptait de mafiosi dotés d'une certaine importance. Santelli n'était toujours pas rentré de Floride, mais le bruit du fiasco, là-bas, l'avait précédé. Larry Haggle, quant à lui, réglait les problèmes urgents et recevait les uns et les autres, si bien que Toby jouissait d'une tranquillité relative.

Santelli débarqua peu après minuit, et s'enferma pendant plus de deux heures dans son bureau, où il eut avec son *consigliere*, une discussion orageuse. Vers quatre heures du matin, Larry Haggle prit une voiture pour descendre en ville où l'appelait une mission non précisée (retrouver Leo Turrin). A quatre heures et demi, Santelli était toujours dans son bureau, apparemment seul, et travaillant sur certains papiers.

Toby ne se rappelait pas exactement à quelle heure elle avait décidé de s'aventurer dans le bureau de Larry, mais apparemment la pièce était vide, éclairée seulement par une petite lampe posée sur la table.

– Je savais qu'il gardait quelque part dans la pièce des documents importants, expliqua-t-elle à Bolan. Tous les jours, Larry passait de nombreuses heures à « mettre ses livres de comptes à jour », comme il disait. Et moi, je voulais jeter un œil à ces fameux livres. Alors, cette nuit, je me suis dit qu'avec tout ce tintouin, j'avais peut-être ma chance de piquer certains papiers et de les remettre en place avant que l'on ne s'aperçoive de leur disparition. Or en entrant, je vois d'abord le coffre-fort grand ouvert et vide. J'étais là, plantée derrière le bureau, quand tout à coup, patatrac! voilà un panneau truqué du mur qui coulisse, et je me retrouve avec Santelli en chair et en os, debout dans la pièce! Ce salaud avait un plumard installé dans une alcôve dissimulée derrière le panneau truqué, et je l'ignorais.

« Imaginez ma tête! Le mec me dévisageait avec des yeux comme des soucoupes, et moi j'étais là, plantée comme une idiote, à poil ou presque... enfin pas vraiment. J'avais un vague déshabillé transparent qui s'arrêtait en haut des cuisses. J'ai découvert que c'était la meilleure tenue pour la chasse nocturne. Ce n'est peut-être pas original, mais ça permet de gagner du temps : après tout, peu de mecs restent insensibles quand une femme sexy les trouve irrésistibles.

« Bref, tout ça pour vous dire que la situation ne m'a pas vraiment prise au dépourvu : je savais exactement ce que j'avais à faire, et du reste, je n'avais pas le choix. J'ai ouvert cette cochonnerie de négligé, et j'ai pris une pose un peu aguichante pour lui demander s'il était prêt à faire la brouette chinoise, lui laissant entendre que la suggestion venait de Larry Haggle.

« Pour l'histoire de Larry, je ne pense pas qu'il ait mordu, mais le fait est que de me voir ainsi lui a changé les idées, si l'on peut dire, car il n'a même pas remarqué le coffre-fort ouvert. Faut dire qu'il faisait un peu sombre. La lampe allumée sur le bureau était vraiment très faible : presque comme une veilleuse, et... »

Bolan la coupa :

— Pouvait-il y avoir une troisième personne dans la pièce sans que vous la voyiez, Toby?

— Bien sûr, et d'ailleurs, il y en avait une, s'exclama-t-elle en secouant vigoureusement ses beaux cheveux blonds. Elle était présente depuis le début, mais revenons à nos moutons. Santelli n'a fait ni une ni deux : il s'est rué sur moi comme une bête fauve, et m'a fait mon affaire aussi rapidement. J'ai pas eu le temps de faire ouf! Vraiment le mec sans classe, si vous voyez ce que je veux dire. Vulgaire, minable, moche par tous les bouts. Bon, inutile de s'éterniser. Ce qui s'est passé ensuite, je ne saurais l'expliquer, mais je me suis retrouvée affalée en travers du bureau, jambes écartées, et cette espèce de monstrueux salopard essayait de me grimper dessus une seconde fois. Je lui ai poliment demandé si nous ne pouvions pas trouver un endroit un peu plus confortable, espérant qu'il m'entraînerait dans l'alcôve, et ne s'apercevrait pas du coup du coffre-fort, mais le cochon n'a rien voulu savoir. Au contraire il a prétendu que le spectacle d'une poule à poil allongée sur son bureau le faisait bander comme un cerf.

« Alors que faire ? J'étais là sans défense et quasi résignée à subir une nouvelle fois les derniers outrages en pensant à notre sainte Mère Justice.

— Vous ne vous êtes pas débattue ?

— Pour quoi faire, grands dieux ? Je n'avais aucune chance. Et puis merde ! C'est moi qui avais déclenché la chose, et je voulais sauver ma peau, mon cher, pas ma vertu.

— Je peux comprendre ça, admit Bolan avec un gentil sourire. J'essayais seulement de me représenter la scène.

— Ça n'est pas bien difficile : imaginez la pauvre petite Toby complètement à poil allongée sur un bureau glacé, attendant courageusement l'inévitable, tandis que le maître des lieux...

— Comment était-il habillé ?

— Oh, ne m'en parlez pas ! fit-elle en fronçant son joli bout de nez. C'était bien le pire. J'avais l'impression d'être dans un film porno. Figurez-vous qu'il portait uniquement un ignoble peignoir de soie noire et des chaussettes ! *Des chaussettes !* Faut vraiment être givré, non ?

Vous avez déjà fait l'amour avec des chaussettes, vous ?

Bolan ignora délibérément la question et
demanda :

— Il a enlevé son peignoir ?

— Bien sûr que non. Pourquoi cette question ?

— Toujours pour mieux me représenter la
scène. Revenons à votre film porno. La pauvre
petite Toby est allongée sur le bureau, et le
maître des lieux...

— Le maître des lieux est agenouillé entre ses
cuisses, en train de la tripoter et de la zieuter.
Puis...

— Vous dites qu'il était agenouillé ?

— Oui. C'est ainsi que cela se dit, je crois. En
d'autres termes, vous êtes penché, et tout notre
poids repose sur vos rotules. Cela s'appelle
être agenouillé, non ?

— Excusez-moi, je ne vous interromprai
plus. Continuez.

— Donc j'avais ce monsieur entre mes cuisses
en train de me tripoter. Je ne sais pas combien
de temps cela a duré. Je suppose qu'il essayait
de bander à nouveau, et brusquement je
m'aperçois qu'il ne me zieute plus du tout. Ses
yeux sont fixés sur cette saloperie de coffre-
fort béant. « Merde ! que je me dis, comment je
vais le récupérer ? » Je gigote un peu, mais rien
à faire. On dirait qu'il a oublié que je suis là.
Brusquement il tourne la tête, et regarde vers
le fond de la pièce comme s'il avait distingué

quelque chose dans l'obscurité, là-bas. Ça vous va pour le décor?

– Parfait. Continuez!

– Puis tout d'un coup, voilà la lampe qui s'éteint. Je veux dire la lampe du bureau.

– Toute seule?

– En tout cas, c'était pas Santelli! Il avait encore les deux mains agrippées à mes cuisses. Pourtant la lampe s'est éteinte. Elle était peut-être commandée par un interrupteur sur le mur du fond. Je n'ai pas pris la peine de le vérifier.

– Et alors?

– Comme vous êtes pressé! Laissez-moi ménager un peu mes effets! Je dois dire que la situation s'est assombrie nettement à partir de ce moment-là. Je ne saurais dire exactement ce qui s'est passé. Je sais que j'étais toujours allongée sur le bureau, Santelli agenouillé entre mes jambes, me tenant les cuisses à deux mains. La lumière s'est éteinte, et quelque chose de chaud à commencé de me dégouliner sur le ventre. Je veux dire, il ne s'est pas passé plus de trois secondes entre le moment où la lumière a disparu, et celui où j'ai senti le truc tiède qui m'inondait. Santelli a poussé un tout petit soupir et s'est effondré sur moi. Puis brusquement j'ai réalisé que le liquide poisseux qui coulait était du sang. J'ai reconnu l'odeur, et puis Santelli était horriblement lourd. J'ai commencé à paniquer un petit peu. J'ai réussi à le faire glisser de côté pour me dégager, mais j'étais couverte de sang. Malgré l'obscurité, j'ai retrouvé mon déshabillé, et m'en suis servi pour me nettoyer vaguement. Et enfin j'ai filé, direction la douche.

– Qu'avez-vous fait de votre déshabillé?

– Je l'ai déchiré en petits morceaux, et j'ai balancé le tout dans la cuvette des WC.

– Futé.

– Pas mal, c'est vrai.

– Les choses se sont bien passées ainsi, vous en êtes sûre?

– En tout cas, je ne peux pas me souvenir avec plus de précision. Vous savez, soldat, même pour quelqu'un de bien entraîné, c'est une expérience assez traumatisante.

– Je l'admets, marmonna Bolan. Vous préférez que nous n'en parlions plus?

– Je ne suis pas une mauviette, soldat. Si vous avez d'autres questions à poser, allez-y. J'ai retrouvé toute ma tête.

Bolan soupira et réfléchit un moment avant de demander :

– Qu'est-ce que vous pensez de tout ça?

– A mon avis quelqu'un voulait se débarrasser du boss, et a trouvé l'occase en or pour le faire tout en faisant retomber les soupçons sur quelqu'un d'autre.

– En l'occurrence vous?

– Evidemment. Avouez que c'était trop beau : une fille de joie sans cervelle! Comment aurais-je pu me défendre?

– Si le scénario avait marché, vous auriez dû

crier, hurler comme une démente. Les autres
auraient rappliqué et vous auraient trouvée
avec le cadavre de Tommy et du sang partout.
Eh oui, deux et deux font quatre.

– C'est à peu près ça, j'imagine.

– Revenons maintenant à ce coffre-fort
forcé. Quelqu'un voulait supprimer Santelli,
mais il cherchait autre chose aussi.

– J'avoue que je n'ai pas encore de réponse
satisfaisante à cette énigme, soupira Toby.

– Quant à l'arme de crime, reprit Bolan, je
sais que c'est un point de détail, mais je n'ai
rien retrouvé, et j'ai pourtant cherché.

– Je suppose que l'on me l'aurait volontiers
collée dans les mains, si je m'étais éternisée un
peu plus longtemps dans le bureau.

– Et pour le coffre-fort?

– On aurait bien trouvé une bonne raison, là
aussi, persifla-t-elle. Mais pourquoi toutes ces
questions oiseuses, capitaine? Vous ne me
soupçonnez tout de même pas? Pourquoi pren-
drais-je la peine de vous mentir? A vous surtout. Vous êtes sans doute venu ici pour l'abattre vous-même. Alors qu'est-ce que j'en ai à
foutre?

Bolan hocha la tête :

– C'est vrai, je voulais le descendre, déclara-
t-il lentement. Mais pas si vite, et pas de cette
façon. Ce n'est pas l'homme en tant que tel qui
m'intéresse, mais son empire. Et sa mort prématurée va encore compliquer la situation.

– Peut-être, mais ne rejetez pas la faute sur moi.

– Bien sûr que non, répondit-il doucement. Je voudrais seulement trouver un point de départ, Toby. Quelque chose qui me guide.

– Je comprends, fit-elle, feignant d'être toujours agacée. Et avez-vous une idée?

– Trois ou quatre petites choses, admit-il avec un petit sourire.

– Mais pas d'action maintenant! renvoya-t-elle immédiatement.

– Ce n'est ni l'endroit, ni le moment.

– Voici hélas résumée l'histoire de notre vie commune, « capitaine la Prudence! »

– Ouais, et c'est bien regrettable.

– Vous me trouvez dégueulasse?

– Bien sûr. Moi aussi je le suis, d'ailleurs.

Elle eut un petit rire :

– Certains hommes ne supportent pas l'idée de ce que je fais.

– Tant pis pour eux. Moi je m'en accommode fort bien. Si je pouvais, je vous ferais une auréole aussi grande que celle de Jeanne d'Arc.

– Arrêtez, murmura-t-elle en se détournant. Vous devenez trop sérieux.

– Je l'ai toujours été, Toby, et vous le savez très bien. S'il le fallait, je vous ferais traverser l'enfer en vous portant sur mes épaules.

– Vous auriez peut-être tort, observa-t-elle timidement, les yeux baissés. Vous feriez sans doute mieux de m'y laisser brûler. Si ça se trouve, c'est à l'enfer que j'appartiens.

Et merde! On en revenait toujours au même point. Pas seulement avec Toby, d'ailleurs, mais tous ceux que Bolan avait rencontrés depuis qu'il s'était lancé dans cette foutue croisade pourrie!

Les notions conventionnelles de bien et de mal étaient trop profondément ancrées dans la moralité bourgeoise, et elles interdisaient à l'individu de juger par lui-même ce qu'il estimait être bien ou nécessaire. Alors si d'aventure il allait contre les idées reçues, c'était au péril de l'image qu'il se faisait de lui-même...

Mack Bolan regarda la jeune femme avec une infinie tendresse :

– Allons, Toby, pourquoi ces idées noires? L'enfer nous est nécessaire à tous, vous le savez bien!

– Répétez ça, capitaine la Prudence.

– Chacun d'entre nous se construit son petit paradis, et il le fait à partir de l'enfer. J'ai lu un jour un livre écrit il y a bien longtemps. Il disait ceci en substance : « Quand vous entrerez au paradis, Dieu ne dénombrera ni vos médailles, ni vos diplômes. Il comptera seulement vos blessures. C'est elles qui vous ouvriront la porte de son royaume. »

Toby ne répondit rien. Elle se drapa du mieux qu'elle put dans sa serviette éponge, et se redressant lentement, s'assit à la façon des Indiennes, les jambes repliées sous elle :

– OK, soupira-t-elle, ne parlons plus de la « pauvre Toby ». Désolée de m'être laissée aller. Où en étions-nous ?

– Je cherchais une piste, lui rappela Bolan. Et j'espérais un peu que vous m'en fourniriez une.

– Désolée, mais je ne vois strictement rien qui puisse faire l'affaire. Je sais que cela paraît ridicule, mais franchement, je me sens incompétente. On abat un homme alors qu'il est pratiquement en train de me faire l'amour, et je n'ai pas le moindre indice qui puisse nous conduire au salopard qui a fait le coup. Honnêtement, je dois vous avouer que j'ai eu une trouille de tous les diables. J'avais peur de me faire saigner à blanc à mon tour, et j'ai filé sans demander mon reste.

– La pièce n'était toujours pas éclairée, quand vous l'avez quittée ?

– Non, j'en suis absolument sûre.

– Et vous êtes revenue tout droit ici ?

– Oui, aussi vite que mes guibolles ont bien voulu me transporter.

– Disons donc qu'il vous a fallu moins d'une minute après que Santelli soit mort, pour regagner cet appartement ?

Elle hocha sa tête magnifique :

– J'ai peut-être même fait plus vite que ça.

– Weintraub était là ?

– Non. Il est arrivé juste après moi.

– Comment cela ?

— Il a rappliqué une minute plus tard, pas davantage. Je le sais car je venais juste de passer sous la douche, quand je l'ai entendu entrer.

— Donc il était dans la maison quand Santelli s'est fait avoir ?

— Sans doute, mais à mon avis, ce n'est pas lui qui a fait le coup.

— Pourquoi ?

— Parce que c'est un meurtre trop dégueulasse. Larry déteste le sang. Hier, je me suis un peu coupé le doigt, et quand il a vu que je saignais, j'ai cru qu'il allait dégueuler.

Bolan soupira :

— Ouais, peut-être, mais parfois la faim fait sortir le loup du bois. Bon, à part son dégoût du sang, parlez-moi de lui. Comment est-il ?

— Sans aucun scrupule, répliqua-t-elle presque comme un réflexe. Il est bien du genre à tuer à condition de le faire de loin. Il pourrait en liquider mille à la fois pourvu qu'il lui suffise d'appuyer sur une commande à distance. Mais franchement je ne vois pas Larry tranchant la gorge à quelqu'un, de ses propres mains.

— OK, Toby. Merci.

Il se dirigea vers la porte, et se retourna avant de sortir :

— Préparez vos affaires. Je vous envoie prendre le frais.

— Parfait, fit-elle un peu pincée. Ça me

convient tout à fait. De toute façon depuis mon
arrivée ici, tout va de travers.

– Vous cherchiez quoi, au juste?

– La roue de la fortune, bien sûr.

– Eh bien vous l'avez trouvée.

– Vraiment?

– Dites à votre patron que Santelli était le
moyeu de la roue. Mais dites-lui aussi que la
magouille va beaucoup plus loin qu'une simple
histoire de drogue. C'est pas du menu fretin,
Toby, mais bien un truc énorme, monstrueux,
même.

– Qu'est-ce donc?

– J'aimerais bien le savoir.

– Vous inquiétez pas, vous le découvrirez
bientôt.

– Merci, vous me donnez du courage. J'en
avais besoin.

– Et moi, j'ai besoin d'autre chose.

– De quoi?

– J'aimerais qu'un homme, un vrai, me
prenne dans ses bras. Oh, pas longtemps. Juste
une seconde.

– Croyez-vous que je sois qualifié?

– Mieux, vous êtes le prototype rêvé.

Bolan comprenait bien ce besoin. Sans un
remords pour Rose d'Avril ou qui que ce soit
d'autre, il s'approcha de la splendide jeune
femme complètement nue, la prit doucement
dans ses bras, et la caressa tendrement. Puis
l'allongeant sur le lit, il fit de son mieux pour

panser les blessures que son cœur un jour, emporterait vers le ciel...

Il la repoussa ensuite avec précaution, et sortit, bien décidé à explorer à fond le royaume infernal de Thomas Santelli.

CHAPITRE VIII

Il y avait vingt minutes maintenant que la mort de Santelli avait été découverte : la macabre nouvelle avait donc eu largement le temps de se propulser de bouche à oreille jusqu'à Baltimore au moins, et retour. Pourtant la réaction dans la place forte elle-même, était plutôt bizarre. Il y manquait quelque chose. Généralement quand le roi meurt, c'est la liesse ou les lamentations. Or ici, il régnait un calme étrange.

Le rez-de-chaussée de la baraque était brillamment éclairé, et dans le hall, une douzaine de types parlaient à voix basse. Il y avait Leo, bien sûr, et puis Damon et Tony La Carpa, et aussi un affreux au regard particulièrement mauvais que Bolan ne reconnut pas immédiatement, et qui tenait Sonny l'Arpenteur par l'épaule. Le môme paraissait terrifié : visiblement, il venait de subir un interrogatoire duraille. Larry Haggle était là, également, serré de près par l'intendant, Carmen Reddi; quant à l'immonde Mario Cuba, il était effondré sur un mauvais canapé défoncé, près de la porte d'entrée. Il avait la gueule plutôt verdâtre, et maintenait une énorme compresse sur son œil droit. Deux forts à bras gardaient la porte donnant sur l'extérieur, et deux autres étaient plantés à l'entrée du sanctuaire de Santelli.

Tout le rez-de-chaussée de la baraque était traversé par un long corridor qui s'élargissait à chaque extrémité, formant deux halls, et se rétrécissait au centre, là où partait l'escalier. Le hall donnant sur le devant de la maison était assez grand, et meublé avec deux canapés, quelques fauteuils autour de tables basses, des porte-manteaux, etc. Des portes coulissantes, juste en face de l'escalier donnaient sur le bureau de Santelli. Quant au hall du fond, il était plus petit, en partie dissimulé par l'escalier, et une porte, dans le mur latéral, ouvrait sur la cuisine.

Tous les regards convergèrent instantanément sur Bolan, quand il apparut. Il descendit trois marches puis s'arrêta, bien conscient de la tension qui accueillait son arrivée.

Non, décidément, l'atmosphère n'était pas vraiment cool!

Bolan fit un petit cinéma pour allumer une cigarette, replaçant avec une minutie exagérée son briquet et son paquet dans la poche intérieure de son costume, puis, fixant Damon droit dans les yeux, il déclara avec une gravité de circonstance :

– Voilà une belle saloperie, Bobby. Je comprends ce que vous ressentez, et croyez bien que je partage vos sentiments à tous. J'espère en tout cas que vous comprenez pourquoi j'ai pris les choses en main.

Damon répondit exactement sur le même ton grave et cérémonieux :

– Sûr, Frankie. Et sachez que nous apprécions votre présence parmi nous au moment précis où les tuiles nous tombent dessus. Mais nous tous ici présents nous posons une question : Pourquoi êtes-vous venu exactement ?

La Carpa était visiblement d'un naturel moins diplomate, et quand il prit la parole, sa voix était un peu mielleuse, dissimulant mal son agressivité.

– En clair, Frankie, on se demande si on vous a pas balancé ici pour faire ce putain de boulot.

Bolan coinça sa cigarette entre ses lèvres et l'y laissa. Et soudain, presque sans mouvement apparent, le Beretta surgit dans sa main. Un des buteurs, près de la porte leva à peine le nez. Quant aux autres frimeurs, dans le hall, ils ne bronchèrent pas d'un poil. Bolan regardait toujours La Carpa droit dans les yeux, et le silence ambiant était lourd, maintenant, poisseux même. On aurait pu le mettre en bouteilles et le vendre pour les chapelles ardentes dans les funérailles.

Très lentement, Bolan dirigea le museau du Beretta vers le sol, puis, mesurant bien ses gestes il enfila deux balles dans le chargeur, et descendit trois marches de plus. Alors, avec un hochement de la tête plein de détachement, il tendit l'arme à La Carpa.

– Il est temps de cesser de se poser des questions, déclara-t-il d'une voix de marbre.

Tony La Carpa lança un rapide coup d'œil à Damon et quelque part, dans le hall, quelqu'un soupira longuement.

Et brusquement « le souffle » était là à nouveau, et l'atmosphère s'anima, normale enfin. Le regard de La Carpa s'était considérablement réchauffé, quand il tendit à son tour l'arme à Bolan pour la lui rendre avec tout le cérémonial requis.

– Le temps des questions est révolu, grommela-t-il presque aimablement.

Les deux hommes se serrèrent la main, et Bolan crut un instant que le truand allait lui donner l'accolade.

Puis, à son tour, Damon s'avança pour échanger une poignée de main avec le nouveau « maître des lieux », et tout le monde se remit à parler. Quelqu'un s'exclama :

– Frankie est OK.

Un autre :

– T'as vu cette classe!

Eh oui, Bolan refilait un peu de style à cette pauvre Mafia en déroute. Tout le monde ici en était bien conscient. Soudain l'ambiance s'était détendue, transformée du tout au tout, et la vieille planque venait de renaître à la vie.

Bolan s'adressa alors à l'intendant :

– On va s'installer dans le bureau de Tommy, Carmen. Fais-nous porter du vin avec du pain et du fromage. Et bien sûr du café pour ceux qui en désirent. Je veux tous les gradés avec moi. Nous avons à discuter d'affaires extrêmement sérieuses.

Damon et La Carpa avaient fort bien entendu :

– Eh bien c'est parfait, observa Damon. Voilà enfin quelqu'un qui n'a pas peur de prendre des décisions!

– Faut dire qu'il était grand temps, ajouta La Carpa.

Leo Turrin, pendant ce temps, s'était faufilé au premier rang comme s'il voulait serrer la main de Bolan :

– J'assiste à la réunion, n'est-ce pas Frankie? lança-t-il assez haut pour être entendu de tous. Je ne suis pas venu ici de mon propre chef, vous vous en doutez!

Bolan prit amicalement le petit gars par l'épaule tout en répliquant :

– Bien sûr, Leo, j'ai jamais songé à te laisser dehors. Je suis au parfum. Quelqu'un m'a expliqué, pour toi... et aussi le pourquoi... On va marcher ensemble, tous les deux, te bile pas.

– C'est bien ce que je pensais, s'exclama La Carpa. Leo nous a raconté, OK, OK. Alors maintenant on sait pourquoi!

– Eh bien allons donc analyser la situation, suggéra Bolan avec un calme olympien. Il est

grand temps, il me semble. Et cherchant des
yeux Carmen Reddi :

— Ça marche, Carmen?

— Il y en a pour moins de dix minutes,
Frankie. Faites installer tout le monde. Pendant ce temps, on s'active dans la cuisine.

— Parfait, fit Bolan, et se tournant alors vers
les deux sous-chefs, Damon et La Carpa, il
ajouta :

— Allez-y, je vous rejoins tout de suite.

Le regard de Weintraub croisa le sien une
seconde, puis l'avocat suivit le mouvement
général. Quant au type au regard mauvais qui
n'avait toujours pas quitté Sonny l'Arpenteur,
Bolan venait de le reconnaître, et le situait
clairement maintenant dans son fichier mental.
C'était un certain Billy Garante, un ancien
garde du corps de Castiglione, une ordure
d'une cruauté inégalable, capable de battre un
homme à mort sans l'ombre d'une hésitation,
et pour un délit dérisoire.

Sonny l'Arpenteur avait raison d'avoir la
trouille.

Bolan s'approcha des deux hommes comme
ceux-ci s'apprêtaient à sortir par la route de
devant.

— Salut, Billy. Ça fait une paie qu'on t'a pas
vu.

Garante eut un petit sourire à la fois finaud
et flatté :

— Salut, Frankie. Content de vous voir ici.
Mais... euh... je me souviens pas où...

– Tant mieux pour toi, rétorqua Bolan glacial, soudain. T'es pas censé te rappeler. C'était chez Arnie. Juste un peu avant qu'il ne nous quitte...

Evidemment, tout ça manquait de précision, et le salopard n'était guère renseigné.

– Vous étiez sans doute différent, à l'époque, remarqua-t-il sans se laisser démonter.

– Comme beaucoup d'entre nous, soupira Bolan.

Puis posant les yeux sur Sonny l'Arpenteur, il reprit :

– J'ai deux mots à dire à mon gars. On te retrouvera tout à l'heure, Billy.

Le mec était congédié, il l'avait bien compris. Il lâcha le môme visiblement à contrecœur, et passa le seuil de la porte, mais Bolan le rappela, comme si il avait oublié de lui dire quelque chose :

– Attends encore une seconde.

Mario Cuba était le seul encore présent dans le hall, et il n'était pas bien loin, toujours affalé sur son mauvais canapé. Posant une main sur l'épaule de Garante, Bolan lança à l'adresse du gorille :

– Ça va mieux, Mario?

– Ça va, Frankie, merci, grogna le chef de troupes d'une voix encore un peu tremblante.

– T'es sûr?

– Oh ouais, pas de problème.

L'œil gauche du gorille était tout enflé, et un

liquide blanchâtre lui dégoulinait lentement le long de sa joue mal rasée. Quant à l'œil droit, celui caché derrière une compresse, il devait être dans un état plus pitoyable encore.

— Carmen voulait envoyer chercher un docteur, reprit le molosse, mais c'est de la foutaise. J'ai rien à branler d'un toubib. Je suis seulement bien embêté, Frankie. Franchement tout ça me gêne beaucoup.

Mario appartenait à la vieille école, et Bolan comprenait parfaitement son embarras. Sa bagarre avec Frankie-Bolan était une faute grave de protocole, quelle que soit la façon dont le supérieur l'avait provoquée.

— Allons, Mario, reprit Bolan conciliant, il ne faut pas être gêné. Tout le monde peut comprendre, et moi le premier. En tout cas, je veux que tu te ménages pendant un jour ou deux. OK ? Faut que tu te la coules douce.

— D'accord, Frankie, fit le gorille en ébauchant un immonde sourire. Mais je me sens bien, maintenant.

— Billy Garante va se charger de ton boulot jusqu'à ce que tu aies un peu récupéré.

— Oh non, pas la peine, je peux...

— J'insiste, déclara Bolan avec un geste de la main pour faire taire les protestations du gorille. Et puis... enfin, disons que c'est ma façon à moi de m'excuser. D'accord ?

— Sûr, Frankie, sûr, balbutia l'énorme en se mettant péniblement sur ses pieds. Vous avez raison, je suppose. Je suis encore un peu groggy.

Et cherchant Garante de son unique œil à demi valide :

– Viens me trouver, si t'as des problèmes. Je suis à ta disposition.

– J'y manquerai pas, Mario, répliqua Garante peut-être un peu trop vite pour tromper qui que ce soit.

Le salopard comprenait l'importance de sa position, et déjà se gonflait comme un mauvais dindon.

Mario demanda alors, vaguement mal à l'aise :

– Vous voulez peut-être que j'assiste à la réunion ?

– Pardi, fit Frankie-Bolan. J'y tiens absolument, Mario. Et toi aussi, Billy.

Les deux hommes s'éloignèrent en direction du sanctuaire de Santelli, le gorille cahotant et s'appuyant à demi sur l'infâme Billy Garante.

Pendant ce temps, Sonny l'Arpenteur attendait patiemment son tour, ou sa chance, qui sait. Quoi qu'il en soit, Bolan était décidé à lui en refiler une. Après tout le môme avait à peu près le même âge que Johnny, le jeune frère Bolan. Frankie le prit donc par l'épaule pour l'entraîner vers les escaliers. Il sortit ensuite de sa poche une liasse de billets de cent dollars, et en détacha deux qu'il tendit au jeunot ébahi :

– J'ai un truc important à te confier, fit-il sur

un ton de conspirateur. Et je compte sur toi. T'as ton permis de conduire?

Le môme regardait toujours le fric de ses yeux écarquillés. Il répondit d'une voix mal assurée :

– Bien sûr, m'sieur, je sais conduire!

– Il y a une jeune dame dans l'appartement de Larry Haggle. Je veux que tu la tires d'ici en vitesse. Descends-la en ville, et lâche-la dans un endroit sympa et tranquille. Refile-lui le fric. Dis-lui que c'est pour ses frais. Tu me suis? ·

– Oui, m'sieur, j'ai bien compris.

– Faut qu'elle fasse comme si elle avait tout oublié. Une crise d'amnésie, tu sais ce que c'est? Bon, elle sait plus où elle était, et elle a rien vu ni entendu, ces derniers jours. C'est une question de vie ou de mort, pour elle. Tu m'as compris?

– Oui, m'sieur. Je lui refile le pognon, et elle a tout oublié.

– OK, je te fais confiance, l'Arpenteur. Ne me fais pas un enfant dans le dos, ou gare à tes os!

– Vous inquiétez pas, m'sieur, j' suis fiable.

Le môme attaquait déjà les escaliers, mais Bolan le retint, et lui tendant un nouveau billet de cent dollars.

– Tiens, celui-là est pour toi. Quand t'auras largué la dame, ne rentre pas tout de suite. T'as droit à un jour de campo. Vu? Va au ciné, trouve-toi une gonzesse, roule-la dans l'herbe. Bref, fais ce que tu veux.

– Oh non, m'sieur, c'est pas la peine. Je veux seulement...

– Hé, l'Arpenteur, c'est une fleur que je te fais! Tu vas tout de même pas la refuser! D'ailleurs, je te demande pas si t'es d'accord. Je t'ordonne de prendre un jour de congé. Pigé?

– OK, m'sieur, répliqua le môme, avec un large sourire maintenant. En fait j'ai besoin d'un peu de repos, pour tout vous dire. J'ai été de garde presque toute la nuit, et hier, ils m'ont fait bosser comme un âne, et j'en peux plus. Merci, Frankie. Vous m'en voudrez pas si je vous dis que vous êtes vraiment un mec super. Et je suis pas le seul à le penser.

– Qu'as-tu donc fait hier qui t'ait tellement éreinté?

– Comment, m'sieur?

– Tu dis qu'ils t'ont fait bosser comme un âne. A quoi faire?

– Oh, fallait transbahuter le chargement.

– Quel chargement? Vois-tu, l'Arpenteur, je viens seulement d'arriver, et je ne suis pas forcément au courant de tous les détails. Explique-moi cette histoire de chargement.

– Je sais pas ce qu'il y avait dedans, Frankie. C'était des caisses. Et croyez-moi, elles étaient putain de lourdes. Il y en avait environ quarante ou cinquante, et il fallait les charrier jusqu'au ponton. On a dû se mettre à quatre pour chacune d'elles, et comme on n'était que quatre, on se les est coltinées toutes. Après quoi on a dû les charger sur cette foutue péniche. Et c'était pas le plus marrant. Bref, j'ai l'impression que mon dos est passé sous un rouleau compresseur.

– Tu parles si je comprends ça. Et la péniche devait l'amener où, ce chargement?

– A un bateau, j'imagine. Quelqu'un a vaguement dit que les caisses partaient à l'étranger.

– Tu sais pas ce qu'elles contenaient?

– Non. Mais je peux vous dire que c'est lourd! Si vous voulez le savoir, demandez à Larry Haggle. C'est lui qu'a mis la marchandise en caisse. Il a tenu à le faire personnellement.

– Allons, que me racontes-tu là? Le conseiller? Il aurait travaillé de ses mains pour une fois?

– C'est la vérité, je vous le jure. Il voulait que personne y touche. D'ailleurs la marchandise était entreposée à la cave, et personne a eu le droit d'y descendre, jusqu'à hier.

– OK, fit Bolan. Maintenant va vite chercher la dame dont je t'ai parlé. Fais-la sortir par l'arrière de la baraque, et en douce, s'il te plaît. Je voudrais pas que le conseiller se sente gêné, si tu vois ce que je veux dire. Ah, j'oubliais : sois gentil avec elle. Elle est OK, la môme.

Sonny l'Arpenteur eut un large sourire :

– OK, Frankie, comptez sur moi. Je la traiterai bien.

Et il grimpa les escaliers quatre à quatre.

Pour Bolan, c'était une bonne chose de faite.

L'information sur le chargement ne manquait pas d'intérêt. Il allait falloir renifler ça de plus près. Mais chaque chose en son temps.

D'abord, il y avait un *capo* à enterrer, et avant même les funérailles, il fallait mettre sur pied la stratégie de défense de la famille Santelli pour déjouer un assaut éventuel de son adversaire le plus mortel.

Mais là encore, les dés étaient pipés. Dans le monde de la Mafia, on n'avait jamais de pire ennemis que ses proches.

CHAPITRE IX

La grande table de conférence avait été déplacée de manière à former un T avec le bureau ovale sur lequel une heure plus tôt, le seigneur des lieux répandait les flots de son sang précieux. Dieu merci, la scène macabre avait été dûment nettoyée, et l'air ambiant fleurait encore l'odeur de rose douceâtre d'une bombe désodorisante.

Carmen Reddi faisait du boulot propre.

Apparemment le bureau du feu *capo* avait été ainsi disposé pour l'usage personnel et exclusif de Frankie, pendant cette réunion au sommet. Dix hommes étaient assis de part et d'autre de la longue table de conférence. Cinq de chaque côté, et selon un ordre respectant scrupuleusement le protocole : d'abord Damon et La Carpa, l'un en face de l'autre, puis Leo et Larry Haggle, et après eux les quatre lieutenants travaillant sous les ordres de Damon et La Carpa. Enfin, presque en bout de table, le chef de troupe et son acolyte, Garante.

Carmen empesé comme à son habitude, était debout au fond de la pièce, surveillant deux de ses hommes qui s'activaient auprès de tables roulantes couvertes de victuailles, et de bouteilles de vodka Eristoff. Les gars en question n'étaient pas à proprement parler des serveurs, mais bien plutôt des tueurs parfaitement compétents, encore qu'un peu âgés maintenant pour remplir des contrats et jouer du soufflant pour un oui ou pour un non. Raison pour laquelle, en temps normal on leur confiait plus volontiers des tâches ménagères...

Le chef de troupes et l'intendant d'une « place forte » avaient un statut bien spécial et régulier quel que soit le boss sous les ordres duquel ils servaient. L'intendant était à proprement parler responsable de la maison – place forte, repaire, planque, peu importe – et de ce fait devait veiller à tout : entretien, approvisionnement, sécurité intérieure, et sécurité des occupants. En temps normal, il n'avait de compte à rendre qu'au maître des lieux.

Le chef de troupes lui, était un genre de capitaine directement sous les ordres de son chef, au sens militaire du terme. Il était responsable de tous les problèmes de sécurité et de toutes les opérations armées décidées par son supérieur : bref il dirigeait la force de frappe de celui qui l'employait dans toutes les opérations offensives ou défensives que celui-ci désirait entreprendre. Et tout comme l'intendant, il ne travaillait pas pour son compte, mais toujours au service d'un chef.

Ce partage des responsabilités n'avait jamais été véritablement codifié, mais les rôles étaient clairement définis dans l'esprit de tous, et la tradition s'en perpétuait fidèlement depuis des générations, respectée et acceptée par tous.

Les frictions étaient rares entre un intendant et un chef de troupes, même si parfois leurs champs d'action se recoupaient. Mais généralement chacun respectait l'autre, et exerçait son autorité uniquement dans son domaine de compétence. De plus, les rivalités étaient quasi inexistantes parce que les hommes ne grimperaient jamais plus haut que là où ils étaient placés. Ils ne seraient jamais *capo*, et du reste n'y rêvaient même pas. Ils étaient en fait des agents techniques, et non des cadres dirigeants. Et ils ne feraient jamais fortune tout seuls. Mais à l'inverse, ils ne couraient aucun risque de se trouver un jour à la rue et, de par leur position, avaient droit au respect et à la considération de tous les membres de la Famille qu'ils servaient.

Au demeurant, Reddi et Cuba étaient aujourd'hui dans une curieuse position. Leur boss était mort : qui serviraient-ils donc, maintenant ?

Pour Mario, la question n'avait sans doute pas encore effleuré son cerveau. Il souffrait comme un damné, se sentait humilié, mal dans sa peau, et n'avait encore reçu aucun ordre de personne depuis que son patron avait si tragiquement passé l'arme à gauche.

Mais pour Reddi, la situation était un peu
différente... l'intendant avait très certainement
une conscience aiguë du problème... Après tout,
on ne servait pas une maison, ni même ses
occupants... On servait le maître des lieux... or
cette planque n'avait plus de maître...

Le problème était plus complexe encore : un
des individus ici présents allait sans aucun
doute succéder à Santelli en tant que boss –
Chef de Famille. Lequel ? Certainement pas
Frankie, qui après tout n'était lui aussi qu'un
agent technique : Frankie l'As noir n'agissait
pas pour son propre compte, mais pour celui
de son employeur, c'est-à-dire la *Commissione*,
elle-même...

Et pourtant... le conseil des chefs qui siégeait
à New York avait sans doute son mot à dire
avant que ne soit désigné celui, parmi les
individus présents, qui serait autorisé à siéger
à la *Commissione*. Damon et La Carpa n'étaient
pas les seuls sous-chefs de la Famille Santelli.
Ils étaient présents, parce que géographiquement, c'est ici qu'ils étaient basés, mais l'empire de Santelli ne se limitait pas à Baltimore.
Et pour administrer proprement ses « provinces », Tommy avait des lieutenants un peu
partout. La *Commissione* pouvait donc décider
de favoriser l'un de ceux-ci au détriment de
Damon ou La Carpa.

Et la *Commissione* était bel et bien présente à

cette réunion en la présence de Frankie, l'As noir.

Nul doute, il allait se passer des choses sérieuses dans le bureau du feu seigneur Santelli.

Et c'est probablement ce genre de considération qui agitait la cervelle déjà un peu échauffée de ce pauvre Carmen Reddi.

Peut-être d'ailleurs fallait-il y voir la raison de l'unique faute de protocole commise par l'intendant, dans cette réunion où l'ordre des préséances avait été scrupuleusement respecté. Thomas Santelli était encore tiède : personne donc n'aurait dû occuper son siège, dans une réunion de famille, du moins pas avant que ses restes n'aient été dûment inhumés, et que l'on ait choisi son successeur selon le rituel d'usage.

Malgré ça, Carmen avait laissé le fauteuil de son maître à sa place habituelle, et Bolan n'avait pas d'autre choix s'il voulait s'asseoir, que de s'installer sur le siège du *capo* défunt...

Carmen avait peut-être fait le coup exprès, d'ailleurs, histoire de refiler une peau de banane à Frankie, pour voir comment il s'en sortirait...

Mais Bolan n'allait pas se laisser piéger comme un bleu. Il poussa le fauteuil de Santelli à l'extrémité gauche du bureau, et adressa un clin d'œil péremptoire à l'intendant.

Reddi pigea illico, apporta un autre siège, et

le plaça juste un peu à droite de l'endroit où aurait présidé son chef prématurément disparu. Bolan s'y assit après avoir remercié Carmen d'un signe de tête, et attendit en silence, le rituel consacré du « vin avec du pain et du fromage ».

Sans même qu'on le lui demande, l'intendant apporta alors une bouteille enroulée dans une serviette, et un très grand verre dans lequel il versa deux doigts de vin qu'il donna respectueusement à goûter à Bolan.

– Très bien, murmura Frankie-Bolan, après y avoir trempé les lèvres. Et il lui rendit le verre.

Puis sans un mot, il lui indiqua de le faire passer autour de la table pour que chacun ici présent puisse y goûter. Carmen Reddi hocha la tête : visiblement, il appréciait ce geste bien dans la tradition. Ouais, décidément le gars savait créer l'ambiance.

Mais il était grand temps d'attaquer la séance, maintenant.

Pas tout à fait, pourtant. Un des téléphones posés sur le bureau se mit à sonner. Reddi s'avança vivement pour répondre, puis s'arrêta net, voyant qu'il s'agissait du téléphone « neutre ». Cet appareil était en fait une ligne privée reliée à un réseau national, et munie d'un dispositif spécial destiné à effacer la provenance et la destination de tout appel. Le téléphone neutre était réservé à l'usage exclusif du maître des lieux.

L'intendant hésita une seconde, mais Bolan vint immédiatement à son secours, saisissant lui-même l'appareil :

– Oui, fit-il d'une voix pincée.

Le système était vraiment très perfectionné, car il déformait les voix, les rendant pratiquement méconnaissables.

– Excusez-moi, fit l'inconnu, à l'autre bout, mais il faut absolument que je lui cause.

– C'est moi, vas-y, murmura Bolan.

– Ouf! Je suis content. J'avais peur que... bon, excusez-moi, mais j'ai été en cavale toute la nuit pour trouver une planque à peu près cool. J'espère que vous râlez pas parce que je vous appelle sur cette ligne. Mais j'ai un baril de poudre pour vous.

– Faudrait peut-être me dire qui tu es, grogna Bolan.

– Je suis celui qu'a causé toute cette merde, hier. Mais j'appelle pas pour m'excuser. Non, faut que je vous dise un truc vachement grave, au cas où vous le sauriez pas.

A l'évidence, le mec croyait s'adresser à Tommy Santelli. Mais le « responsable de la merde, hier » était en fait au bout du fil, à la place de feu Santelli, et ça corsait l'histoire, pas de doute.

– Faudrait quand même mettre quelques noms sur tout ça, déclara Bolan dans l'appareil. Vas-y, tu peux parler, déballe ta salade.

– C'est Bijou, à l'appareil.

Bolan sentit son pouls s'accélérer un brin.

Carlo Papriello, dit Bijou, était le chef de troupes de l'Ile de Santelli, là où Bolan avait agi hier jeudi, jour de Justice. Et l'Exécuteur avait quitté ces lieux maudits la veille au soir, persuadé que Bijou était mort, ou tombé entre les mains de la police.

— Eh, super! s'exclama-t-il dans l'appareil. Content que t'aies sauvé tes billes, Bijou. Alors, dis-moi un peu, quel bon vent t'amène?

— Vous savez, l'enculé qui nous a frappés, je crois que c'était qui vous savez.

— Tu veux dire le petit soldat de merde? Ça d'accord, Bijou, on l'avait compris tout seuls.

— Alors c'est bon. Je me disais que vous aviez peut-être des doutes, alors j'ai préféré... bref, c'est pas tout, et le reste est pas bien marrant à raconter... j'ai un peu honte, mais je crois qu'il vaut mieux être franc. Quand vous saurez, vous jugerez, et puis un jour ou l'autre, si je peux me rattraper...

— Grouille-toi d'accoucher, Bijou. On a du boulot, ici.

— Oui, m'sieur, excusez-moi, m'sieur...

— Alors?

— Je crois que je me suis fait blouser par ce salopard. Vous voyez qui je veux dire? Il s'est baladé ici en se faisant passer pour un certain Frankie, un As, si vous voyez, et j'ai marché comme un vrai connard. Ah, m'sieur, si vous saviez comme j'ai honte! Il a balancé Guido, et m'a foutu à sa place. Et moi, je mouffetais pas, je croyais que vous l'aviez envoyé. Oh, Bon

Dieu de merde, c'est moi qui suis responsable du merdier, ici, et je suis prêt à payer, vous pouvez me croire. Mais surtout je voulais que vous sachiez.

– T'as bien fait d'appeler, Bijou, lui répondit Bolan. Nous nous occuperons de tout ça un peu plus tard. Pour l'instant je veux que tu te mettes au frais. Trouve-toi une planque à l'ombre, et bronche pas. Ce que tu viens de me dire pourrait nous amener pas mal de merde, ici, et nous sommes déjà dans une situation un peu délicate. Alors garde tout ça pour toi, et n'en parle à personne. Vu ?

– Vu, m'sieur, mais je suis tellement embêté...

– Laisse tomber, que je te dis, nom de Dieu ! Combien de fois faut te répéter de pas te faire de mourron ? T'en as mis d'autres au courant ?

– C'est que je suis à Lauderdale, en ce moment. Vous voyez où ? Il y a pratiquement personne, sauf deux autres gars. Et je leur ai déjà tout raconté.

– Eh bien continue, dis-leur ce que je t'ai dit, et même consigne pour eux. Allez, je compte sur toi. Emmène ces mecs en balade avec toi. Faites un tour dans les îles, où vous voulez, je m'en fous. Maintenant, faut que je te laisse.

Bolan raccrocha et repoussa le téléphone de côté.

– Bazarde-moi ce truc-là, ordonna-t-il à Reddi. Je ne veux plus être dérangé.

– Mais certainement, Frankie. Euh... c'était bien...?

– Vous m'avez tous entendu, c'était Bijou Papriello. Il s'en est tiré. Le pauvre vieux a dû sans doute patauger dans les Everglades (1) toute la nuit, et tout ça pour nous annoncer ce que nous savons tous déjà.

– Vous voulez dire...?

– Exactement. Et maintenant, passons à l'ordre du jour. Il faut enterrer Tommy, et régler les problèmes urgents.

– Je vais faire servir le pain et le vin, Frankie.

– Vas-y, murmura Frankie-Bolan.

Et qu'il fasse vite, nom de Dieu!

La planque au bord de la Chesapeake Bay risquait bien de s'effondrer sur Mack Bolan, l'ensevelissant à jamais au côté de Santelli l'ordure. Dans le jeu de Vendredi Vengeance, une carte était truquée, à moins que pour la fête qui se préparait, n'arrive un invité qui n'était pas annoncé...

(1) Iles situées au sud-ouest de la Floride.

CHAPITRE X

La caravane de guerre était garée sur un promontoire dominant la baie. Rien qui puisse éveiller la curiosité des foules : un camping-car de plus, et ils étaient déjà nombreux à avoir séduit le cœur des Américains épris de liberté. Pourtant celui-ci était le symbole même de cette liberté, et pour Mack Bolan, l'Exécuteur, il était à la fois sa maison, sa base d'attaque mobile, son vaisseau de combat, son laboratoire, son engin de reconnaissance, son support logistique, et mille autres choses encore. Car c'était véritablement un miracle de technique et de sophistication, même pour les individus comme Harold Brognola, pourtant rompus aux progrès des moyens de communication et spécialiste des armements les plus nouveaux.

Mais plus invraisemblable que le véhicule lui-même était le fait qu'il avait été conçu et fabriqué grâce à l'aide bénévole des plus grands experts en aéronautique du pays. Il n'avait fallu que quelques semaines pour élaborer et confectionner ce chef-d'œuvre de la technologie et du XXe siècle, alors qu'un programme officiel équivalent aurait demandé des mois d'études sur plan, et sans doute plusieurs années avant de voir le jour.

Ainsi, la caravane de guerre symbolisait bien davantage que la détermination farouche d'un individu à exterminer la pourriture du monde. Elle représentait aussi le courant secret de sympathie qui soutenait l'homme dans sa croisade. Tous ceux – ingénieurs ou techniciens – qui de près ou de loin avaient participé à la réalisation de cette merveille risquaient gros, et auraient facilement pu être arrêtés pour avoir dévoilé des secrets professionnels. Car certains appareillages électroniques qui équipaient la caravane de guerre relevaient quasiment du secret d'Etat, et n'avaient pas encore franchi le stade de l'étude en laboratoire.

Enfin, le véhicule de Mack Bolan symbolisait aussi le désir de liberté des peuples civilisés, au même titre qu'il symbolisait la détermination de son propriétaire de se libérer de la domination des sauvages.

Bolan lui-même l'avait expliqué en termes assez simples :

– Si l'on montre à un sauvage que l'on est le plus fort, il se cantonnera gentiment dans son territoire.

Et bien sûr, la mission de Bolan était de faire un monde plus sûr et plus heureux pour les hommes et les femmes civilisées. Un jour qu'il

était d'humeur à philosopher, il avait dit à
Brognola :

– Les pauvres d'esprit n'hériteront jamais
d'un monde peuplé de sauvages. Or ce sont eux
les plus civilisés d'entre nous. Ils ont donc
besoin qu'on les épaule. Il leur faut quelqu'un
plus sauvage encore que les sauvages, capable
de leur assurer une existence paisible, en battant les barbares sur leur propre terrain. Faute
de quoi Attila envahira le monde, et nous
pourrons dire adieu à notre chère civilisa-
tion.

Et Bolan se souciait comme d'une guigne
que ceux pour lesquels il avait entrepris sa
croisade sanglante soient écœurés par sa façon
d'agir et ses méthodes de guerre.

– Je me moque bien qu'ils m'aiment, avait-il
un jour confié à Brognola. Et je n'ai que faire
de leur respect. Pourquoi voudrais-je les voir
me suivre en enfer? Ils ont leur enfer quoti-
dien et c'est bien suffisant pour eux.

Etonnant individu, prodigieux même, et sa
mission était vraiment remarquable. Triste
tout de même qu'elle n'ai pu bénéficier d'un
appui officiel. Brognola lui-même aurait été
heureux de lutter avec Bolan main dans la
main au vu et au su de tous. Mais les choses
allaient changer désormais, si toutefois l'Exécuteur acceptait l'aide que le gouvernement lui
proposait.

Pour l'instant, le gars avait insisté pour que
ce soutien reste très limité. Apparemment il ne

voulait pas que des individus officiellement appointés par l'Etat puisse avoir leur réputation ternie parce qu'ils se verraient contraints d'utiliser des méthodes à la limite de la légalité. Et là encore, c'était un euphémisme.

– Pour moi, c'est moins grave, avait coutume de dire Bolan.

Jamais il n'aurait voulu que ceux qui étaient chargés de maintenir le calme et la sécurité du pays, se transforment soudain en sauvages, même temporairement et poussés par de louables motivations.

Brognola soupira tout en pénétrant dans l'impressionnante caravane. Rose d'Avril était installée devant toute une batterie d'écrans de contrôle. Elle avait du reste repéré l'arrivée de Brognola sur un de ces écrans, et avait actionné la commande électronique de la porte du vaisseau de guerre, pour lui permettre d'entrer.

– Dieu que je suis heureuse de vous voir ici! s'exclama-t-elle à l'adresse de son chef.

– J'ai fait aussi vite que j'ai pu, sitôt que j'ai reçu votre appel. Que se passe-t-il?

La jeune femme enleva une cassette de la console d'enregistrement, et la lui tendit :

– Vous trouverez tout là-dessus. Il a gardé son enregistreur branché, et vous verrez, le son est excellent. D'une qualité étonnante, même, pour un microtransmetteur de si petite puissance. Vos techniciens n'auront aucun mal à analyser les données. On peut même reconnaî-

tre les intonations les plus subtiles des voix. Et
ceci ne représente que la première heure. J'ai
une autre bande sur l'enregistreur. Elle fonctionne aussi bien que la première.

Fronçant les sourcils, Brognola demanda :

– Vous ne m'avez tout de même pas sonné
uniquement pour un rapport de routine ? Il y a
un ennui, ou quoi ?

Rose d'Avril enleva son casque à écouteurs
et le contempla un instant avant de répliquer :

– C'est que... apparemment il n'était pas
parti pour ça, mais il a changé de tactique en
cours de route. Il a sans doute trouvé suffisamment de mou pour effectuer une pénétration
en douceur. Et depuis plus d'une heure, il joue
à fond sa mascarade de Frankie Lambretta.

– Mon Dieu, comme je déteste ce petit jeu !
grogna Brognola, soudain anxieux. C'est horriblement dangereux. Le moindre faux pas, le
moindre regard peut le trahir, et toute la
racaille lui tombera dessus.

Mais Rose avait les yeux tout brillants quand
elle interrompit son chef :

– Laissez-moi vous dire qu'il est vraiment
extraordinaire dans son rôle. Il est Frankie
plus vrai que nature, et les autres sont à ses
pieds, boivent ses paroles. Bref, c'est fantastique.

Puis son regard se voila légèrement et elle
reprit :

– Mais j'ai bien peur qu'il ne lui arrive de

graves ennuis, maintenant. C'est pour cela que j'ai appuyé sur la touche SOS.

– Que se passe-t-il? Expliquez-moi.

– Quelqu'un a appelé de Fort Lauderdale. L'appel s'est fait sur une ligne brouillée, et c'est notre ami qui l'a receptionné, se faisant passer, du moins je le suppose, pour Thomas Santelli. Notre micro-relais a très bien intercepté la communication, mais vous savez comme ces lignes brouillées sont difficiles à capter, parfois. Peut-être vos techniciens arriveront à déterminer avec certitude qui était en ligne. Moi j'ai eu l'impression qu'il s'agissait de Papriello, et il voulait avertir Santelli que Mack Bolan et Frankie Lambretta n'étaient qu'une seule et même personne.

– Bon sang de bois! s'exclama Brognola en cognant son poing contre sa paume. Ça c'est un vrai baril de poudre! Faut le tirer de là, et en vitesse.

– N'oublions pas que Bolan a pris la communication lui-même, coupa doucement Rose d'Avril. Si bien que tout n'est pas absolument perdu.

– Et où était Santelli pendant ce temps-là?

– Il est mort bien sûr.

– Ça alors! Merci de me tenir au courant! Vous attendiez quoi pour me le dire? Vous me réserviez la nouvelle comme cadeau de Noël?

Ignorant le sarcasme, la jeune femme se contenta de répondre:

– Tout est sur l'enregistrement: Vous y trouverez tous les détails ainsi que le déroulement chronologique des événements. A propos, qui diable est... Toby?

Brognola hésita un quart de seconde :

– Que voulez-vous savoir sur Toby?

– Elle est là-bas, elle aussi, ou du moins y était. Vous l'ignoriez?

– Ça alors! marmonna-t-il. Je ne le savais pas, non.

– Ecoutez la bande, et vous serez au courant, coupa à nouveau Rose d'Avril un peu amère. Tout y est, même les détails les plus croustillants – franchement, une fille comme ça, je ne comprends pas. Jamais je ne pourrais agir comme elle. Et dites-moi encore une chose, monsieur Brognola : croyez-vous que toutes les filles en ce bas monde sont prêtes à tomber amoureuses de notre ami? Combien d'autres Toby rôdent dans votre univers clandestin?

– Hélas pas suffisamment, murmura doucement Brognola. Et vous n'avez rien compris, mon petit. Quand deux professionnels comme ceux-là se rencontrent au cours d'une mission et font l'amour, c'est un peu comme s'ils célébraient la vie qu'ils ont miraculeusement sauvegardée, alors que le navire était en train de couler. Alors cessez de vous ronger les ongles comme une bécasse, voulez-vous, et sortez-nous plutôt la bouteille de vodka Eristoff. Je crois qu'on a besoin d'un remontant.

– Pourquoi? Ça se voit tellement? demanda-

t-elle vivement, tout en ouvrant un petit bar
placé sous le tableau de bord.

– A peu près aussi évident qu'une enseigne
au néon tricolore dans un bled de campagne,
rétorqua-t-il avec un petit sourire. Il but le
verre qu'elle lui tendit, soupira, satisfait, et, se
reprenant subitement, il ordonna :

– Donnez-moi vite une ligne téléphonique. Je
vais mettre quelqu'un sur Papriello. Il est à
Fort Lauderdale, c'est bien ça ?

La jeune femme appuya sur un bouton, et
passa le casque à écouteurs à son chef :

– Oui, et j'ai l'impression qu'il appelait d'un
endroit appartenant à Santelli. Il a dit : « Je
suis à Lauderdale, vous savez où. »

– En effet, ça suffit, assura Brognola, en
bouclant son casque avant de s'installer devant
la prodigieuse console de communication.

Quand les lignes étaient brouillées, il fallait
aussi brouiller les pistes. Apparemment, tous
les vautours ne le savaient pas...

CHAPITRE XI

Pour Mack Bolan, le plus étrange était que personne, dans cette assemblée ne paraissait véritablement s'émouvoir de la disparition brutale et prématurée du chef de la Famille. La seule réaction plus ou moins de circonstance, avait été ce moment de tension un peu avant dans le hall, et c'était plutôt la suspicion générale qui l'avait provoquée que la douleur...

Très bizarre, tout ça, en vérité.

On avait porté le toast rituel au repos éternel du chef disparu, et symboliquement au moins, on l'avait enterré, quand Bolan décida de tenter quelque chose d'audacieux. Sans s'adresser à personne en particulier, il posa la question suivante :

– Qui a fait venir les frères Baldaserra ?

Silence de mort, autour de la grande table.

Regardant alors La Carpa droit dans les yeux, Bolan réitéra sa question, avec cette fois-ci davantage de diplomatie.

– T'as vu ces deux branquignolles, ces temps-ci, Tony ?

Sans enlever le cigare qu'il avait au bec, La Carpa marmonna avec indifférence :

– Pas depuis que... non, je croyais qu'ils avaient pris le large. Vous dites qu'ils sont dans le coin ?

– Ils y étaient, corrigea Bolan sans se mouiller.

Son regard se posa ensuite sur Damon :

– Et toi, Bobby, t'étais au courant ?

Le « politicien » de l'empire Santelli secoua résolument la tête :

– Même si je les voyais, je saurais pas que c'est eux. Bien sûr, je les connais de réputation. C'est comme pour vous : je vous connais, mais je ne vous avais jamais vu.

– Non, pas comme moi, rectifia Bolan. Moi, on m'a envoyé ici, alors que quelqu'un a fait venir les Baldaserra. Il y a une différence, et non des moindres. Et promenant son regard autour de la table, il l'arrêta enfin sur Mario Cuba :

– Toi, Mario, t'étais au parfum ?

– Oui, m'sieur ?

– C'est toi qu'as envoyé chercher Ike et Mike ?

– Putain de Dieu, bien sûr que non, m'sieur ! Pourquoi vous dites qu'ils sont par ici ? Je les aurais repérés s'ils rôdaient dans les parages.

– Et moi, tu m'as vu quand, pour la première fois ?

Le mec baissa honteusement son unique œil valide, et se mit à dessiner des ronds sur la table avec une dent de sa fourchette.

– Peut-être bien que je les aurais pas vus, c'est vrai, grommela-t-il morose. Je suis rentré dans la baraque dix minutes, un quart d'heure, pas plus. Mais quand je dis que je les aurais repérés, je pense aussi à mes gars. Ils sont mes yeux et mes oreilles, partout où je ne suis pas. Rien leur échappe.

– T'as combien de sentinelles dehors, exactement?

– Deux au portail, deux au ponton, deux à l'intérieur de l'enceinte, une devant la maison, et une derrière.

– T'en es bien sûr?

– Quoi?

– Il y a longtemps que t'as pas vérifié leurs positions?

– Pas depuis...

Le chef de troupes tourna un regard angoissé vers son nouveau second :

– C'est quand que t'as fait ta dernière ronde, Billy?

– Juste avant que... enfin, juste avant le merdier : Je sortais de la baraque quand j'ai croisé Sonny Palo. Il disait que Frankie réclamait le chef de troupes. J'ai commencé par l'engueuler d'avoir quitté son poste, et c'est là que t'es sorti, Mario. J'étais devant la maison, en train de parler avec Jimmy Jenner, et puis tout à coup, y a eu du ramdam à l'intérieur : on venait

de découvrir la merde. Mais je crois que... enfin
à part Sonny Palo, que j'ai pris avec moi, parce
que j'avais à lui causer, je crois que les autres...
enfin...

Le gus s'adressait à Mario Cuba uniquement,
mais Bolan le coupa sèchement :

— En fait, t'es sûr de rien, si je comprends
bien?

— C'est vrai que j'ai pas vu de mes yeux
vu...

— Ouais, t'as rien reluqué de visu depuis
qu'on a trouvé ce pauvre Tommy avec la gorge
tranchée, c'est bien ça?

Le salopard sortait des yeux en bille de
loto :

— Vaut peut-être mieux que j'aille vérifier,
marmonna-t-il.

— T'as plutôt intérêt, ouais, rétorqua froidement Frankie, l'As noir.

Mario Cuba fit mine de se lever, lui aussi,
tout en grommelant :

— Je vais avec lui.

Mais Bolan d'un geste, lui intima l'ordre de
rester à sa place :

— Toi, Mario, tu bouges pas! Billy a des yeux
en meilleur état que toi.

Mario baissa le nez, et se tint tranquille.

Par contre, les autres autour de la table
commençaient à devenir nerveux. Certains
avaient repoussé leur chaise, et se balançaient
négligemment, d'autres faisaient des boulettes
avec la mie de pain qui traînait sur la nappe.

Seul Leo Turrin gardait les yeux fixés sur l'homme qui siégeait derrière le bureau de feu Thomas Santelli, et le regard qu'il lui adressait était assez déroutant.

Bolan alluma lentement une cigarette, et attendit que Garante ait quitté la pièce pour rompre le silence pesant. Seulement alors, il soupira avec lassitude, et annonça, en prenant soin de ménager ses effets :

— Les frères Baldaserra étaient ici. Je les ai vus repartir.

Puis posant un regard de marbre sur Larry Haggle, il reprit :

— Vous les avez peut-être aperçus, vous, Larry. Ils repartaient au moment où vous arriviez.

— Vous m'avez vu arriver ? s'enquit froidement l'avocat, en tournant un regard impénétrable vers Leo Turrin. Vous avez remarqué quelqu'un, vous, Leo ?

Turrin secoua résolument la tête, tout en continuant de fixer Frankie l'As noir.

— Je ne faisais guère attention, je dois l'avouer, admit le Fédé camouflé. J'avais passé toute la nuit debout, et je crois que j'ai vaguement fait un petit somme dans la bagnole. Je n'ai strictement rien vu.

Robert Damon toussa bruyamment pour s'éclaircir la gorge :

— Si j'ai bien pigé, vous suggérez que l'un d'entre nous à sonné les Baldaserra. Et vous suggérez également que ce sont eux qui ont fait son affaire à Tommy?

— Je ne suggère strictement rien, rétorqua froidement Bolan. Je me contente d'énumérer les faits pour que chacun de nous en tire les conclusions, et se fasse son idée de la situation.

Damon mordilla son cigare avant de rétorquer :

— C'est le jeu. Parlons donc de faits : Primo, Tommy est mort. Deuzio, quelqu'un lui a proprement tranché la gorge d'une oreille à l'autre. Tertio, c'est *vous*-même qui avez découvert le corps. Quatrièmement, vous et Leo avez été envoyés par le QG de New York pour nous aider à résoudre la crise provoquée par cette ordure de Mack Bolan. Cinquièmement, *vous dites* avoir vu les Baldaserra, avant qu'on ne découvre la mort de Tommy. Bon, c'est tout pour les faits?

— Non, répliqua aimablement Bolan. Il y en a d'autres : Les Baldaserra ne bossent pour personne d'autre que leur pognon personnel. Et enfin... (Il s'interrompit pour écraser son mégot dans le cendrier.) Et enfin, disais-je, Tommy est mort, et personne ici n'a l'air de s'en émouvoir.

Un silence de mort s'établit à nouveau autour de la grande table de conférence.

Bolan prit son verre, et but une longue gorgée de vin.

Enfin Larry Haggle poussa un profond soupir, avant de déclarer :

– Il y a autre chose encore, Frankie, et personne ici présent ne me contredira, j'en suis certain. Je parle en notre nom à tous, et j'affirme que nous sommes tous fichtrement contents que Tommy soit mort.

– Vous allez un peu vite en besogne, Conseiller, grogna Mario Cuba, à l'extrémité de la table.

Weintraub eut un sourire plein de condescendance avant d'admettre :

– OK, tous sauf Mario. Et pourtant il savait lui aussi comment Tommy nous traitait, nous, sa Famille.

– Expliquez-vous, fit Frankie l'As noir.

– Il nous truandait, nous volait comme dans un bois.

– Comment cela ?

– Vous pourriez interroger vos chefs à New York, là-dessus. Ils vous en apprendront autant que moi.

– Je le ferai peut-être, en effet, mais pour l'instant, c'est à vous que je pose la question, Larry.

– Vous voulez jeter un œil à nos livres de comptes ?

– J'en serais enchanté. C'est vous qui les détenez ?

– Oui, répliqua le *consigliere* avec le plus grand calme. Mais si vous les regardez, vous allez vous marrer un sacré brin !

— Pas impossible, rétorqua paisiblement Frankie-Bolan, car voyez-vous, Haggle, quand je suis entré dans cette pièce, pour y découvrir le cadavre de Tommy, j'ai aussi trouvé le coffre-fort, dans le mur derrière le bureau, grand ouvert, et complètement vide. Je vous pose donc la question suivante : Avez-vous les livres de comptes en votre possession?

Weintraub n'avait toujours pas quitté son sourire condescendant.

— Appuyez donc sur le bouton, à côté des tiroirs de droite du bureau de Tommy, fit-il.

Bolan prit tout son temps pour allumer une nouvelle cigarette, puis passant un doigt le long des tiroirs, il trouva en effet un bouton sur lequel il appuya : un pan du mur du fond coulissa sans un bruit, dévoilant une minuscule chambre à coucher.

— Voilà la véritable tannière de Tommy, s'exclama Larry Haggle triomphant. Remarquez bien, il n'y a pas de fenêtre, pas même de grille d'aération. Et tout est en acier blindé : murs, plancher, plafond. Avec un système de verrouillage digne du meilleur James Bond. C'est là qu'il conservait ses livres. Tout le reste, tout ce que vous voyez autour de vous, c'est de la foutaise, comme cette piaule entière, d'ailleurs. Rien qu'une façade, pour donner le change. Alors, Bobby, tu savais ça, toi?

Damon secoua la tête, tout en observant froidement la petite alcôve, derrière le panneau coulissant.

Larry Haggle reprit sans se démonter :

– Il gardait dans ce coffre à l'échelle humaine, ce qui lui tenait le plus à cœur, en d'autres termes, son livre de comptes à lui. D'ailleurs, il voulait toujours l'avoir sous les yeux. Si bien que celui qui a fouillé le coffre et les tiroirs s'est bel et bien foutu le doigt dans l'œil. Le pot au roses, il était planqué derrière ces murs d'acier. Pas ailleurs.

Bolan s'était penché pour observer le bouton déclencheur. Il se redressa ensuite et demanda à l'avocat :

– Je trouve ce système d'ouverture un peu simpliste.

– Cela dépend, rétorqua vivement Haggle. Il y a un code que l'on peut supprimer, si l'on veut. Pour l'instant, il n'y est pas. C'est moi qui l'ai enlevé.

– Pourquoi ?

L'avocat redressa fièrement la tête :

– Parce qu'il a bien fallu que je m'introduise dans ce trou pour vérifier que rien ne manquait.

– Et tout était là ?

– Absolument.

L'As noir eut un mince sourire avant de répliquer :

– Eh bien, monsieur le Conseiller, je crois que nous allons avoir une discussion en petit comité. On m'a dépêché ici pour jeter un œil sur l'Investissement, et j'ai bien l'intention de le faire avant de repartir.

— Investissement, mon cul! coupa sauvagement La Carpa. Le bouquet dans tout ça, c'est que cette saloperie de magouille n'appartient à aucun d'entre nous. Il a jamais rien voulu nous refiler, Tommy. C'était sa petite mine d'or personnelle, et on sait tous qu'il prenait notre pognon pour l'investir tranquillement dans sa magouille à lui. Non seulement il se foutait pas mal des affaires de la Famille, mais en plus il nous pompait, et il nous entubait jusqu'à l'os. Moi, cette année, j'ai paumé 10% de ce que j'ai investi. Et si je calcule en dollars, ça fait plus de 35% Et pendant que je m'appauvris bêtement, Tommy pavane à droite et à gauche : un jour, c'est en Suisse, le lendemain en Allemagne ou en Hollande, quand ça n'est pas en Floride ou en Californie. Et nous, pendant ce temps, on se crève pour rien. Ça commence à bien faire!

— Et le turbin, pour nous, c'est pas du nougat, surenchérit Damon. C'est tous les jours un peu plus duraille de presser le citron jusqu'à la dernière goutte. Même que des fois, on se fait prendre pour des cons, et c'est pas marrant. Tout ça, parce que Tommy, les affaires de la Famille, il en a rien à branler, et qu'il préfère s'occuper de son petit business « perso ».

Charmante Famille, en vérité! Et voilà que maintenant, on étalait le linge sale...

Mais Billy Garante venait de faire irruption dans le bureau, gesticulant et hurlant comme

un dément, et se plantant devant Mario Cuba,
il aboya de façon presque intelligible :

– J'ai deux gars trucidés, là-bas!

– Où? rugit le molosse.

– Les deux sentinelles du ponton, Nick et
Willy. Avec un lacet en nylon. Sont déjà tout
refroidis et tout raides!

– Les pédés d'enculés! beugla La Carpa en
bondissant de son siège.

Sans doute faisait-il allusion en termes peut-
être un peu violents aux frères Baldaserra.

L'énorme Mario Cuba, tentait lui aussi péniblement de se mettre sur ses jambes :

– Grouille-toi de nous préparer deux bagnoles, Billy, grogna-t-il, ivre de fureur. Ils vont
voir, ces macaques.

Eh oui, tout se mettait en place, enfin. Et les
sauvages se trouvaient d'un seul coup dynami-
sés, et ivres de rage, parce que l'on avait fait
irruption sans crier gare sur leur territoire.
L'heure était aux représailles, maintenant. Le
reste pourrait bien attendre!

Mais Bolan ne voulait pas laisser échapper
sa racaille.

– Du calme, Mario, fit-il durement. Rassieds-
toi. Tu vas nulle part pour l'instant!

– Ecoutez, m'sieur, je...

– Ta gueule! J'ai dit du calme!

Mario se rassit, son immonde trogne cramoi-
sie de rage.

– Arrête donc de foncer tête baissée, comme
un mec sans cervelle, gronda à nouveau Bolan.

Si tu continues tu vas nous attirer l'apocalypse! T'as l'air d'oublier pourquoi je suis ici, et pourquoi Leo aussi il est avec vous. Maintenant, écoutez-moi tous : vissez-vous sur vos sièges, et bronchez pas d'un poil. Leo doit vous parler, et vous allez l'écouter. Et si l'un de vous s'amuse à déconner, je lui promets une jolie petite sarabande. Compris?

Sur ce, Bolan se leva, et lança un regard péremptoire à Larry Haggle :

— Ceci ne vous concerne pas, Conseiller. Venez avec moi.

Et saisissant l'intendant par le bras :

— Toi aussi, Carmen, tu nous suis. On a à discuter.

Les trois hommes montèrent directement dans l'appartement de Weintraub. L'avocat et Carmen s'assirent sur ordre de Frankie-Bolan, qui lui, préféra rester debout, adossé à la porte, les bras croisés sur sa poitrine.

— Et maintenant, finie la comédie, déclara-t-il sans préambule. Puisque nous sommes entre nous, venons-en au dernier point.

— Que voulez-vous dire? demanda Weintraub un peu nerveux.

— Simplement ceci : c'est moi qui ai viré les frères Baldaserra. Ils n'ont jamais foutu les pieds dans cette fichue planque. Et ils n'ont jamais posé un œil sur Tommy Santelli.

— Alors pourquoi diable toute cette...

— Oh, OK, nous y arrivons. Il paraît évident pour nous trois ici présents que celui qui a tué

Tommy était un habitué de la maison, quelqu'un qui pouvait se balader partout, y compris dans son bureau, et qui par conséquent a pu sans difficulté, lui refiler un long couteau sous la gorge. Quelqu'un donc qui connaissait parfaitement les habitudes de la maison, qui savait où aller, quand, et que faire. Je vous ai donc nommés, messieurs. Dites-moi maintenant si je me trompe.

Carmen Reddi piqua du nez sur ses godasses, quant au conseiller, il se cala un peu plus confortablement contre le dossier de son siège, et croisa les mains au-dessus de sa tête. Enfin, il eut un petit soupir avant de demander :

– Pourquoi n'avoir pas cassé le morceau en bas, devant tout le monde ?

Ignorant la question, Bolan dévisagea Reddi :

– Alors, Carmen, que dis-tu de mes conclusions ?

Le gus n'eut même pas la force de lever les yeux : tout comme Mario Cuba, un peu plus tôt, il était visiblement très gêné.

– C'est moi, qui ai appuyé le couteau, admit-il enfin à voix basse.

– Vous confirmez, Conseiller ?

Weintraub poussa un soupir à rendre l'âme :

– OK, c'est exact, nous nous sommes mis à tous les deux pour lui régler son compte. Faut dire que ce saligaud se payait notre gueule depuis pas mal de temps, déjà. Il se foutait de nos gueules. Il avait mis tous ses œufs dans un autre panier bien à lui. Alors hier soir, après le fiasco de Floride, on a tous tenu une petite conférence, et on a décidé de se débarrasser de cette ordure. Si vous saviez la vérité, vous auriez du mal à...

— Je me fiche pas mal de vos raisons, coupa Bolan froidement. Ce sont des affaires de Famille. Dites-moi plutôt si vous êtes arrivés à un consensus, hier soir ?

Les deux hommes échangèrent un regard rapide.

— Pas vraiment, non, répliqua Weintraub. Mais nous en avions déjà beaucoup parlé, et nous savions tous qu'un jour ou l'autre l'un d'entre nous devrait se charger de la sale besogne. Donc, dans ce sens-là, oui, nous étions arrivés à un consensus.

— Dans ce cas, vous avez bien agi, Larry, admit Frankie l'As noir.

— Alors pourquoi désiriez-vous nous voir en privé ?

Bolan haussa les épaules :

— Vous avez vu la réaction de Mario ? On ne sait jamais. D'autres en bas peuvent aussi réagir de façon violente. Vous savez, Conseiller, on ne m'a pas envoyé ici pour sauver un *capo*, moins encore pour m'occuper de ses troupes. On m'a balancé ici pour sauver l'Investissement. Etes-vous prêt à entendre ma dernière conclusion ?

— Comment ?

– Ma dernière déduction, si vous préférez, Conseiller.

Weintraub soupira tout en jetant un regard de biais à son complice.

– Je crois que je la connais déjà, murmura-t-il.

– Alors parfait. Allez vite me chercher ces livres de comptes, maintenant.

Indéniable, Frankie était bien davantage qu'un As noir télécommandé par la toute-puissante *Commissione*.

Il allait faire exploser cette satanée place forte, histoire de bien « sauver l'Investissement » !

CHAPITRE XII

Tu parles de livres de comptes! Une vraie splendeur avec en prime, pour le plus grand bonheur de Mack Bolan, des rentrées régulières au cours des derniers mois écoulés, et totalisant pas moins de quarante millions de dollars; le tout systématiquement et méthodiquement transformé en lingots d'or et d'argent. Une bagatelle.

La plupart de ce fric provenait de diverses organisations de la Mafia éparpillées aux quatre coins du pays, mais un bon quart de ces quarante millions semblaient avoir une provenance tout ce qu'il y a de plus légale.

Bolan cependant pouvait difficilement se montrer trop curieux. Il se contenta donc de grommeler à l'adresse de Weintraub :

— Tout ce qui est inscrit ici est réel, ou c'est du bidon?

— Parfaitement réel et légal de surcroît, sur le papier au moins.

— Et ailleurs?

L'avocat haussa les épaules :

— Il faudrait toute une équipe d'experts champions et des mois d'investigation pour avancer de vagues preuves de truquage. En gros, je dirais dix pour cent...

— Vous voulez dire que vous le soupçonnez d'avoir écrémé un peu le dessus de la marmite ?

— Je ne le soupçonne pas. J'en suis sûr ! Mais c'est très astucieusement camouflé, et vous aurez bien du mal à trouver quoi que ce soit dans ces registres. Il passait son pognon en soi-disant commissions à des agents de change fantômes, jouait avec les fluctuations de la bourse, etc, etc. D'ailleurs dans un business comme celui-là, c'est un jeu d'enfant de barboter 10% des rentrées.

— D'autant qu'il les réinsérait sous forme d'investissements, c'est ça ?

— Ouais. C'était sa « contribution personnelle ».

— Vous êtes sûr qu'on ne trouvera aucune anomalie suspecte dans ces livres de comptes ?

— Persuadé. Même moi je n'y verrais que du feu, si je n'avais pas été au courant des revenus réels de Tommy. Seulement il se trouve que je les connaissais et ils sont sans aucun rapport avec les investissements colossaux qu'il a consentis de « sa poche » dans cette affaire.

— Vous aviez accès aux comptes d'exploitation ?

– Aux officiels, oui, bien sûr. Mais pas à celui des dessous de table. Sauf évidemment quand il fallait établir le rapport mensuel pour les actionnaires.

– Là, il vous laissait voir ses comptes réels?

Weintraub grimaça un sourire :

– Heureusement! J'aurais jamais pris le risque de bosser pour lui, autrement. Trop dangereux le truc! Je ne tenais pas tellement à me retrouver transformé prématurément en macchabée. Je préférais que ce soit lui.

– Décidément vous aviez une tendresse bien particulière pour ce gars!

Retrouvant subitement tout son sérieux, l'avocat réfléchit un instant avant de répondre :

– A une époque, nous aurions pu nous entendre. Et je ne parle pas seulement de moi : les autres aussi étaient prêts à l'apprécier. Puis cette magouille a tout gâché. Ça l'a rendu complètement givré. Il a vu trop de pognon, Frankie, et ça lui a tourné la tête. Surtout que ces quarante millions de dollars ne représentent que le capital investi. Ils rapporteront probablement cent fois plus... Alors je crois que ça lui est monté au ciboulot.

– Je ne suis pas censé connaître tous ces détails, fit paisiblement observer Bolan, je...

– Je le sais très bien. Mais alors pourquoi toutes ces questions?

– Il est préférable, je crois, de connaître les

tenants et les aboutissants de toute cette affaire. Voilà pourquoi je vous interroge.

Weintraub se leva et s'approcha de la fenêtre. Il regarda longuement dehors, et demanda à brûle-pourpoint :

— Qu'avez-vous fait de ma bonne femme ?

— Je l'ai expédiée ailleurs, déclara Bolan sans marquer aucun étonnement devant le tour personnel que prenait la conversation.

— Pourquoi ?

— Demandez à Carmen.

Le regard de Weintraub se posa alors sur l'intendant :

— Réponds, Carmen, veux-tu ?

Reddi étendit les deux mains en avant comme pour implorer quelque obscur pardon.

— Elle était là-bas dedans, et elle a tout vu, avoua-t-il.

— Où donc ? aboya Larry.

— Avec Tommy. Vous savez bien, Conseiller, jamais je n'aurais fait les choses ainsi, si j'avais pu l'éviter. Mais elle a débarqué en plein milieu de l'opération. J'avais déjà vidé le coffre-fort, et bazardé le contenu des tiroirs. C'était bordélique à souhait. Et j'allais m'occuper de Tommy, pensant qu'il était encore dans son lit, quand la voilà qui se pointe. Alors je me suis planqué. Puis Tommy est sorti de sa chambre, et a commencé à la peloter. Je dois dire d'ailleurs qu'elle m'a sauvé la mise, cette poule. Nous, on comptait qu'à une heure pareille, il dormirait. Eh bien on s'était trompé. Alors que pouvais-je faire? Sitôt que Tommy s'est rendu compte du bordel, il a bien fallu que je le liquide, et là où il était perché, encore.

– Ouais, assez dégueulasse, il faut dire, observa Weintraub d'un ton amer. Après tout ce que...

– Je suis bien d'accord, mais qu'est-ce que je pouvais faire? soupira l'intendant. En plus j'avais cette bonne femme sur les bras. Je savais pas si je devais lui régler son compte à elle aussi. J'aurais voulu d'abord avoir votre accord. Mais elle m'a filé entre les doigts comme une anguille. Et comme je ne voulais pas m'amuser à courir après elle, vu que j'étais couvert du sang de Tommy, j'ai pensé que nous lui réglerions son problème plus tard, et je suis allé me changer et me laver. Et puis tout a commencé à marcher de travers, et à aucun moment je n'ai eu le temps de vous en parler.

L'avocat lança un regard aigu à Bolan :

– C'est ce qu'elle vous a raconté?

Bolan hocha la tête.

– Qu'elle a été témoin de tout, mentit-il.

– Eh bien alors, où diable l'avez-vous planquée, et pourquoi?

– Vous comprendrez que je garde pour moi l'endroit où je l'ai mise à l'ombre, déclara Bolan d'un ton solennel, jusqu'à ce que, ma mission terminée, je rentre faire mon rapport aux autorités dont je dépends. Quant au pourquoi de la manœuvre, il me paraît évident, non?

– Toujours votre saloperie de mission, c'est ça?

– Exact.

– Ce qui veut dire que...

– Ce qui veut dire tout simplement qu'ils veulent voir ces livres de comptes, là-bas, en haut lieu. Figurez-vous, mon cher Conseiller, que vous n'êtes pas le seul à vous émerveiller de la finesse avec laquelle Tommy falsifiait les chiffres.

– Vous êtes tout de même un sacré bon-homme! ne put s'empêcher de soupirer l'avo-cat.

– Merci.

– Vous aviez déjà tout manigancé dans votre tête, pas vrai, quand vous êtes apparu tout à l'heure en haut des escaliers? Et maintenant en plus, vous détenez un témoin... Vous êtes un sacré petit malin...

– C'est pas moi qui suis malin, Conseiller. C'est le monde. J'essaie seulement d'être à sa hauteur.

Mais, Weintraub, au fur et à mesure qu'il comprenait combien il s'était fait avoir, sentait la rage monter en lui :

– Comment saurai-je que ces livres arrive-ront à bon port, sans que personne y ait touché?

– Vous savez, moi, l'argent ne me rend pas dingue, lui dit Bolan.

– Ah, c'est vrai, ricana l'autre, j'avais oublié. Vous faites toujours tout poussé par le sens du devoir, c'est bien ça?

– Exactement. Et vous, qu'est-ce qui vous pousse à agir?

– Mes motivations personnelles, aboya Weintraub.

– Eh bien continuez! Je ne suis pas ici pour vous arrêter. Mais il faut que je sache ce que recouvre ce que je ramène à mes autorités. Ce pognon inscrit dans les livres est investi dans quoi, exactement?

– Dans le sacré jus qui fait tourner le monde! rétorqua brutalement l'avocat. Vous savez cette saloperie qui fait marcher n'importe quoi, et sans laquelle les cheminées d'usine ne fumeraient plus, et cesseraient une bonne fois de polluer notre pauvre univers.

– Vous pourriez peut-être dire pétrole, comme tout le monde. Ce serait plus simple, grommela Bolan.

– Quel que soit le nom que vous lui donniez, ça vaut de l'or, et c'est ça qui compte. Or le pétrole se fait de plus en plus rare, par les temps qui courent.

– Ouais, et quand il n'y en a pas, on peut pas en vendre, mon gars, observa Bolan. Alors où il se cache le rapport de vos quarante millions de dollars?

– Vous raisonnez vraiment sans aucune imagination, ricana Weintraub. C'est pour ça que les gars comme vous sont précieux : Donnez-

leur un ordre, ils l'exécuteront à la lettre, sans
en comprendre le pourquoi ni le comment.
Mais filez-leur un portefeuille d'action, ils
feront faillite en moins d'une semaine!

— Alors peut-être faudrait-il trouver le lan-
gage qu'un type comme moi peut comprendre.
Sinon je crains que nous ayons de graves
ennuis.

— Vous connaissez le sens du mot *prohibition?* C'est là-dessus que s'est édifiée la Mafia
moderne, au cas où vous l'ignoreriez. Et les
mots *rationnement* et *pénurie*, ils vous disent
quelque chose? C'est grâce à eux que la Mafia
s'est engraissée tout au long de la guerre, la
Grande Guerre, comme on dit. Et vous avez
entendu parler de la grosse magouille, la
grosse galette, avec tous les gars excités
comme des puces à l'idée de se faire un max de
pognon en un rien de temps? C'est ainsi que
nous avons traversé le boum de l'après guerre
et la période de l'expansion. Et maintenant
vous savez ce que c'est, l'*herbe*, la *dure*, la
came? Ce sont des petites merveilles qui nous
ont balancés en plein zénith. Allons, Frankie,
faut pas rêver! La Mafia est une entreprise de
service, pas autre chose. Et laissez tomber
votre « sens du devoir » à la con, vos serments
et tout le reste... C'est de la foutaise conçue
pour mieux mater le menu fretin. Nous on
s'occupe de faire marcher une entreprise, et
pas n'importe laquelle. On vend du service, et
c'est ce service qui nous donne notre puissan-

ce. Cette puissance, nous la maintenons en fournissant à nos « clients » ce qu'ils veulent, ce dont ils ont besoin ou ce qu'ils aiment le plus au monde. Nous faisons élire des hommes politiques marron, nous permettons à des industriels de s'enrichir plus vite, nous rendons heureux les ivrognes et les drogués, et nous fourguons des bonnes femmes partout où les mecs en ont besoin. En bref, nous proposons à chacun ce qu'il ne peut pas se procurer tout seul. Et ça, c'est pas la *Cosa Nostra*, mon vieux, non, c'est la Mafia en tant que prestataire de services, et qui tire de là sa toute-puissance.

– Revenons au problème du pétrole, grommela Bolan. Tant que vous y êtes, faites le plein et vérifiez les pneus : c'est tout de même pas ça, votre magouille!

– Ah ah très drôle! Beaucoup plus marrant que vous ne l'imaginez, même. Que se passe-t-il quand un pompiste dit : « désolé, il n'y a plus de jus. Vérifiez vos saloperies de pneus tout seul. Moi je pars à la pêche? » Que répondriez-vous dans un cas semblable? « OK, dorénavant j'irai à pied ». Ou bien iriez-vous trouver un pompiste capable de vous refiler le service que vous demandez?

Bolan n'était pas prêt à poursuivre la petite plaisanterie beaucoup plus loin :

– Pour l'instant je m'intéresse à quarante millions de dollars, Conseiller.

– Mais c'est une goutte d'eau dans la mer,

mon pauvre ami! Le tout début, si l'on peut
dire. Disons qu'on à peine passé le nez par
l'entrebâillement de la porte, si vous voulez.
Mais un jour viendra où l'essence sera ration-
née à nouveau dans ce pays, comme dans le
monde entier d'ailleurs. Quant au prix qu'il
faudra la payer, mieux vaut ne pas y penser.
Vous verrez, on connaîtra alors une crise aussi
monstrueuse que le krach de Wall Street en
1929. Et on verra des queues de plusieurs
kilomètres devant les rares postes à essence
qui continueront de vendre leur camelote, malgré la crise. Alors croyez-moi, les gens se fou-
tront pas mal du prix du litre de cette saloperie! Et ce sera encore plus vrai pour le chauf-
fage des baraques en hiver. Vous savez pourquoi?

Bolan haussa les épaules :

— Vous savez, la crise de l'énergie n'est pas
vraiment un problème récent.

— Et voilà! s'exclama triomphalement Larry
Haggle en frappant dans ses mains. Vous
voyez, vous avez marché comme tout le monde.
Bien sûr, tout le monde sait qu'il y a une crise
de l'énergie. Mais écoutez un truc qui va vous
faire réfléchir : Cette soi-disant pénurie de
pétrole est la plus belle fumisterie depuis les
salades qu'Hitler racontait aux Allemands pour
se faire élire à la tête du pays. Pénurie de
pétrole, mon œil! N'importe quel imbécile peut
s'en rendre compte tout seul. Les réserves
souterraines de pétrole n'ont jamais été aussi

importantes. On continue d'en découvrir de nouvelles tous les jours. Le monde va manquer de pétrole? Foutaises! Allons, sortez un peu de votre univers ridiculement étroit et démodé. L'OPEP (1) et l'industrie du pétrole dans son ensemble font apparaître votre connerie de *Cosa Nostra* comme une entreprise de bonnes sœurs. Il n'y a pas plus de pénurie que de beurre en broche. Et tous les fils de putes de la terre vous vendront votre saloperie de carburant partout et toujours à condition qu'ils y trouvent leur compte, c'est évident. La voilà, notre magouille, mon pote. Simple, mais fallait y penser.

Bolan eut un mince sourire.

– Vous allez vous offrir un émirat? demanda-t-il.

– Jamais, Dieu nous en garde! Qu'en ferions-nous? D'abord c'est bien trop cher, et puis c'est un sacré merdier à faire marcher. Non, notre système est beaucoup plus simple. Vous avez entendu parler du marché libre?

Jetant un coup d'œil à sa montre, Bolan répliqua :

– Au cas où par hasard ma réponse serait négative, expliquez-moi.

Mais l'avocat commençait à s'échauffer sérieusement. Il se laissa tomber sur son siège, et maugréa :

– Allez donc suivre un cours du soir! Vous y

(1) Organisation des pays exportateurs de pétrole.

apprendrez qu'un rapport de cent fois la mise n'est pas une histoire que l'on raconte aux enfants. Ça n'est peut-être pas pour demain, mais ça ne saurait tarder, croyez-moi. Bien sûr, moi, je reste étranger à l'affaire. C'est moi qui l'ai conçue et imaginée, mais je n'y ai pas de billes. Seulement à New York, vous pourrez dire à ces messieurs que... enfin, dites-leur que Tom Santelli les a truandés de première.

– Vous ne vous y seriez pas risqué, vous, j'imagine?

– Certainement pas. Quand je fais un boulot propre, je demande seulement à être correctement payé. Vous pourrez leur dire aussi là-bas que Lawrence Weintraub est le cerveau de toute l'affaire. Tommy a pris toute la gloire pour lui, mais c'est moi qui ai tout imaginé et tout structuré. D'ailleurs, les contacts à l'étranger, c'est moi qui les ai. Alors s'ils veulent prendre tout ça en considération quand...

– Je ne manquerai pas de les en informer, Conseiller.

– S'il vous plaît, faites-le. Mais qu'allez-vous leur raconter au sujet de Tommy?

Bolan soupira avant de répliquer :

– Je vais tout simplement leur dire que Tommy roulait sans vergogne sa propre Famille, et que celle-ci a redressé la barre. Ils n'ont pas besoin de connaître autre chose, et d'ailleurs, ils ne désirent pas non plus en savoir davantage. Surtout quand ils auront étudié ces livres.

L'avocat parut alors reprendre un peu de poil de la bête, et ses yeux s'éclairèrent même si sa voix restait parfaitement neutre et détachée :

– Que vont-ils décider pour l'investissement de Tommy ?

– Je vais tout simplement leur conseiller de le remettre entre les mains de la Famille, après en avoir prélevé 10 % pour couvrir les frais de la *Commissione*.

A ce mots, Larry parut presque joyeux :

– Pour moi, ça serait parfait. J'ai déjà passé un accord avec les héritiers de Tommy.

– Si j'étais vous, observa Frankie l'As noir, je ne crierais pas ce genre d'histoire sur tous les toits. Disons tout simplement que Larry Haggle serait heureux de poursuivre sa tâche au sein de l'Organisation, en tant qu'administrateur du projet du marché libre... et qu'il sait qu'il sera correctement rémunéré par la nouvelle direction.

Là, l'avocat ne se tenait plus de bonheur :

– Oh, Frankie, vraiment, je ne sais... et surtout oubliez toutes ces conneries que je vous ai dites un peu plus tôt. Vous êtes vraiment un gars super ! J'étais tellement inquiet que je ne savais plus ce que je disais.

– Je l'ai bien compris, fit Bolan avec un mince sourire.

Et avançant d'un pas, il serra la main de l'avocat marron, avant de se tourner vers Carmen Reddi :

– T'en fais pas pour ces livres de comptes : ils sont en de bonnes mains.

Il était presque à la porte quand subitement il se retourna comme si une idée venait de lui traverser la cervelle :

– Oh, à propos, j'allais oublier : la cargaison a bien pris le large ?

– A l'heure dite, comme prévu, répliqua Weintraub tout heureux.

– Si j'en parle, c'est parce qu'ils peuvent vouloir vérifier, reprit Bolan. Surtout maintenant avec l'histoire de Tommy.

– Alors qu'ils se grouillent, fit le conseiller en consultant sa montre. Le rafiot devait larguer les amarres avant le lever du jour.

Bolan hocha la tête et sortit, puis immédiatement après repassa le nez par l'entrebâillement de la porte :

– Comment s'appelle-t-il, déjà, ce vaisseau de guerre ?

– *Ville de Tanger*, précisa le cerveau du coup des quarante millions de dollars.

– C'est vrai! s'exclama Bolan. Je ne sais pas pourquoi, mais ça m'était sorti de la tête.

Sur ce il s'en alla pour de bon.

Quarante millions de dollars en lingots d'or et d'argent : une bagatelle, vraiment! La Fête des Vautours serait sans doute de courte durée, et Vendredi Vengeance risquait de se terminer avant le coucher du soleil...

Quant à Frankie, l'As noir, il avait intérêt à se trisser en vitesse...

CHAPITRE XIII

Bolan regagna le bureau pour y récupérer Leo Turrin. La réunion avait dégénéré, et plusieurs groupes s'étaient formés autour des chefs. De nouvelles têtes étaient apparues, probablement des chefs d'équipe. Tous parlementaient avec une violence contenue, et l'atmosphère était tendue à craquer. Encore quelques instants, et ça allait péter des flammes.

Leo, planté près d'une porte-fenêtre, regardait d'un œil morne, la baie au loin, tandis que la Famille qui du reste n'avait plus rien de tel, discutaillait âprement sur la stratégie à adopter face à la menace Bolan, avant de s'entretuer allègrement, chaque membre espérant dévorer à lui tout seul la galette laissée par feu Tommy Santelli.

De fait, le rôle de Leo n'était pas facile. La popularité des administrateurs de la *Commissione* avait beaucoup décliné depuis déjà pas mal de temps, symptôme incontestable que l'Organisation tout entière partait en marme-

lade. Et des individus comme Leo Turrin
devaient maintenant marcher sur des œufs,
chaque fois qu'ils intervenaient dans des affaires de Famille.

Bolan se dirigea vers lui sans que personne
ne remarque sa présence, et lui demanda à
mi-voix :

– T'es prêt à te barrer de ce trou pourri?

Turrin se retourna avec un large sourire :

– Tu parles! Mais il me faut un bon prétexte.
Ces mecs sont fous à lier. Si ça continue, ils
vont jouer du pétard, et ça sera pas joli, joli.

– Sacrée galère, ouais! soupira Bolan.

– Tu peux dire, mais je me suis efforcé de les
garder ici pour que tu les trouves tous réunis.
J'ai pensé que ce serait plus facile pour toi.
Inutile de te préciser que ça n'a pas été du
gâteau : Cette histoire de Bolan les rend tous
fous furieux, et ils crèvent de rage à l'idée que
l'ordure, comme ils disent, ait choisi ce
moment précis pour se pointer sur leur territoire. Malgré tout, je ne sais pas combien de
temps on va les contenir. J'ai l'impression
qu'ils ne vont pas tarder à se trisser pour se
mettre à l'ombre, en attendant que l'orage
passe. En tout cas, moi, à leur place, je n'hési-
terais pas. Après tout, qu'ont-ils à gagner à
rester ici, plantés comme des cons? Ils sont
même pas foutus de se mettre d'accord sur une
stratégie à adopter. A mon avis, le seul qui ait
des couilles au cul, c'est La Carpa, mais ses
hommes ont l'air de vouloir le lâcher. Il les a

rassemblés au fond de la pièce, et il essaie vainement de les convaincre, mais ça sent la poudre, par là-bas. Les salopards veulent suivre Damon.

– Et Damon, il en dit quoi?

– Oh lui, il clame que la Jamaïque est un endroit charmant, à cette époque de l'année. Si les gars de New York veulent la peau de Bolan, ils n'ont qu'à venir la chercher eux-mêmes. Et de préférence pas ici à Baltimore. N'importe où ailleurs ferait parfaitement l'affaire, si tu vois ce que je veux dire. On n'a pas beaucoup d'ambition dans le secteur, comme tu peux t'en rendre compte.

– Tu t'es pas gourré, Leo, je suis ravi de les trouver rassemblés. Je tiens pas à ce qu'ils se dispersent pour se multiplier comme des saloperies de cellules malignes. Je les veux tous dans un même sac que nous balancerons allègrement à la flotte.

– Je sais pas trop comment tu vas te démerder pour les contenir. Moi j'ai fait de mon mieux. Je leur ai parlé autant que j'ai pu, mais si j'avais dit un mot de plus je risquais de me retrouver pendu par les couilles à cette ordure de lustre, au plafond.

Bolan prit alors les gros livres de comptes qu'il avait glissés sous son bras.

– Voilà avec quoi je vais les calmer, tu vas voir, murmura-t-il.

– C'est quoi?

– La clé de leur royaume pourri. Vois-tu, ces

livres pèsent moins de deux kilos, mais ils valent plus de quarante millions de dollars.

– Et bien entendu en or massif, j'imagine ?

– Exact. Pas plus, pas moins. Or ce pognon, c'est eux qui en ont sué la majeure partie, mais tu t'en doutes ils n'en reverront jamais la couleur.

– Pas étonnant qu'ils soient tous aussi nerveux !

– Tu parles ! On va leur refiler de quoi se calmer les nerfs : un gâteau pour lequel il va falloir se battre, à moins qu'ils choisissent de s'entre-dévorer à cause de lui.

– J'ai bien peur qu'ils n'optent pour la seconde hypothèse, observa Turrin avec un brin de nervosité.

– Eh bien tant mieux pour nous, et tant pis pour eux.

– Je vois ce que tu veux dire. Alors en avant, je suis ton homme.

Tout le monde maintenant avait noté le retour de l'As noir, et Damon et La Carpa échangeaient depuis plusieurs minutes des regards un peu anxieux. Quant aux nouveaux venus, ils observaient Frankie-Bolan avec une curiosité non dissimulée.

Bolan ordonna à Turrin :

– OK, mon vieux, reste sur ma gauche, à portée de main.

Il se dirigea ensuite à grandes enjambées jusqu'au bureau de feu Santelli, et posa les livres de comptes bien en évidence. Brusquement tous les regards convergèrent sur lui, et un silence de mort s'établit dans la pièce. Alors d'une voix tonitruante, Frankie hurla à l'adresse de Leo Turrin :

– Passe-moi cette putain de saloperie de fauteuil!

Leo pigea illico, et balançant un coup de pied vicieux dans le siège de Santelli, l'envoya bouler droit dans les jambes de Bolan.

L'As noir s'empara de cette « putain de saloperie de fauteuil », et l'élevant à deux mains au-dessus de sa tête, l'abattit avec une violence inouïe sur le dessus du bureau, le brisant en mille morceaux qui giclèrent sur la table de conférence. Tous les gars présents se figèrent sur place devant la férocité de ce geste sacrilège. Alors Bolan, récupérant les restes du fauteuil éparpillés sur le bureau, les balança brutalement aux pieds de Mario Cuba.

Silence de mort dans la pièce.

S'emparant ensuite des livres de comptes, il les abattit avec fureur sur le bureau :

– Quarante millions de dollars! glapit-il comme un dément. Vous le saviez? Je dis bien quarante millions! C'est le plus beau nid de merde que j'ai découvert depuis mes débuts dans le métier. Voilà pourquoi je libère le siège de cet enculé de fils de pute qui vous a tous escroqués. Maintenant si quelqu'un ici n'est pas content... enfin, si quelqu'un prend son pied à se faire enculer par son propre père, il est grand temps qu'il le dise! Parce que moi, devant Dieu et devant vous tous, je déclare que ce siège n'a jamais existé. Alors si vous trouvez quelque chose à redire, surtout, ne vous gênez pas.

Tout en parlant, il fixait un œil mauvais sur Mario Cuba. Le molosse piqua du nez, et ne pipa mot.

– Alors, Tony, t'es d'accord ou pas?

Pas de réponse.

– Et vous les gars, il y a quelqu'un qu'a un mot à dire?

Non, décidément, personne ne mouffetait.

– Nous sommes aujourd'hui vendredi. Lundi matin à New York, on va s'occuper de ces quarante millions de dollars. La majeure partie de ce pognon, je dois le dire, revient à ce territoire. Mais il va vous falloir le prouver, et défendre votre bout de gras. Parce que dites-vous bien une chose, cette Famille n'existe plus. Elle a disparu j'imagine, avec son premier *père*, j'ai nommé Arnie le Fermier. Depuis la mort d'Arnie, tout ce qui s'est passé ici est nul et non avenu. Je le raye d'un grand trait maintenant et à jamais.

Et pour ponctuer sa phrase, il balança une nouvelle fois les livres de compte sur la table.

Robert Damon sursauta, mais sans y prêter attention, Bolan reprit, toujours aussi virulent :

– Que ceux qui ont quelque chose à dire se trouvent à New York, lundi matin à huit heures précises. Jusque-là, cette merde de Famille n'existe plus!

— Une minute, tout de même, Frankie, protesta Damon un peu faiblard.

— Vous avez pourtant attendu un sacré putain de temps, ricana Frankie, l'As noir, qui semblait se calmer un peu. J'arrive pas à croire que vous autres, mecs, êtes restés assis les bras croisés pendant tout ce temps, alors que ce fils de pute vous entubait jusqu'à la moelle en vous regardant droit dans les yeux. Mais nom de Dieu, où vous l'avez foutu votre amour-propre? Vous ne croyez donc plus en l'Organisation? Dans un cas grave comme celui-ci, vous n'avez pas à vous serrer les coudes en fermant votre gueule. Non, l'Organisation est là pour vous aider, et pour rétablir la justice et l'ordre. Vous l'aviez donc pas compris, bande de cons?

Robert Damon avait la voix encore mal assurée quand il demanda :

— Pour lundi matin, vous nous avez dit quoi, déjà?

— Huit heures pile, répéta calmement Bolan. Si vous voulez le droit à la parole, il faudra vous trouver là-bas, Tony et toi. Après tout, logiquement, c'est vous les héritiers. Mais il va falloir le prouver, et surtout démontrer qu'il reste encore quelque chose à sauver dans cette Famille pourrie.

— Je... enfin, je comprends pas bien...

— Adresse-toi donc à Larry Haggle. Il serait tout de même temps que tu te mettes au

courant de ce qui se passe sur ton propre
territoire. Je veux dire, si toutefois tu penses
avoir un territoire.

Le gars ne parut pas s'apercevoir du sarcasme, et se contenta d'un regard vaguement
alarmé à La Carpa.

— Si vous voulez un conseil, écoutez-moi,
reprit Bolan. Vous deux, posez votre cul quelque part, et branlez-vous un peu les méninges
ensemble. Tâchez de vous entendre, sur celui
des deux qui prendra la tête du royaume,
établissez une charte, faites un programme,
tracez les limites de votre champ d'action, et
rappliquez lundi matin à New York pour pré-
senter le tout à la *Commissione*. Personne là-
bas ne souhaite vous entuber, ni les uns, ni les
autres. Par contre, en haut lieu, on voudra être
sûr que vous avez récupéré vos billes, et qu'il
reste encore quelque chose à sauver. Ils ne
s'amuseront pas à balancer quarante millions
de dollars à une bande de rigolos qui sont
même pas foutus de laver leur linge sale en
famille. Mettez-vous bien ça dans la tronche.
Mais avant tout, il va falloir échapper à Mack
Bolan. Alors démerdez-vous, et bonne chance.

Et fourrant les livres de comptes sous son
bras, il fit signe à Leo Turrin de le suivre, et
sortit de la pièce à grands pas.

A peine débarqué dans le corridor, Leo murmura :

— Seigneur Dieu, quelle performance ! Si tu

continues, ils vont faire de toi le Chef Suprême!

Mais Bolan ne risquait pas grand-chose, il le savait.

D'ici lundi, avec un peu de chance, tous les chefs auraient disparu, et il ne resterait à la *Commissione* que des sièges vacants à jamais... ou du moins pour quelque temps.

Le royaume de Satan était à son point d'effondrement total, et même Frankie l'As noir était impuissant à différer sa chute.

CHAPITRE XIV

— Sais-tu, marmonna Leo, tu m'as filé la chair de poule quand t'as amené l'affaire Baldaserra sur le tapis. Note, je pige maintenant pourquoi tu l'as fait : deux macchabées dans le décor... va bien falloir les justifier. Mais, dis-moi, c'est qui à ton avis qu'a liquidé Tommy ?

Bolan s'arrêta au beau milieu du hall pour allumer une cigarette, puis paisiblement il répondit :

— C'est Carmen Reddi.

Leo ne cacha pas son indignation :

— Oh, c'est pas vrai ! L'intendant responsable de la planque ! Quelle honte !

— Eh oui, soupira Bolan. T'avoueras que c'est une Famille bien dégénérée.

— Tu parles !

— Eh bien tirons-nous, et en vitesse, maintenant, ajouta le grand homme avec un mince sourire.

— Je te suis, mon pote. T'as un char ?

– Non, mais on va bien dégotter quelque chose.

A cet instant précis, Jimmy Jenner passa vivement le seuil de la porte de derrière, et cria, hors d'haleine :

– Votre hirondelle vient d'arriver, Frankie!

Bolan jeta un coup d'œil à sa montre, et répondit, très professionnel :

– Ah parfait. Juste à l'heure.

Jimmy Jenner faisait partie de ces gars qui ne vieillissent pas. Aussi loin que ses souvenirs remontaient, Leo l'avait toujours vu ici ou là, et il n'avait pas changé. C'était un type sans problème, et qui prenait la vie comme elle se présentait. Aussi restait-il toujours identique, et l'âge semblait n'avoir aucune prise sur lui : il avait toujours l'air du môme qu'il était bien des années plus tôt.

Et Frankie l'As noir lui avait fait une sacrée impression!

– Vous voyez pas d'inconvénient, Frankie, si j'arrête ma garde maintenant? Ça fait une heure que je fais la parlotte avec ma relève.

Bolan lui sourit :

– Si tous nos gars étaient comme toi, le monde entier nous appartiendrait!

Le « môme » rosit de plaisir.

– Oh, j'essaie toujours de faire de mon mieux, fit-il modestement. Maintenant, si vous préférez que je reste, je le peux très bien, Frankie. Et puis aussi je voulais vous dire une chose : j'espère que vous allez pas me trouver

trop familier, mais je suis drôlement content
de vous connaître. J'espère qu'on vous reverra
bientôt.

Bolan lui lança un regard très sérieux, solennel presque, et lui posant une main sur l'épaule
déclara à mi-voix :

– Tu acceptes qu'un vieux comme moi te
donne un petit conseil?

– Bien sûr, m'sieur. Sûr que je le suivrai.

– Casse-toi d'ici.

– Quoi?

– Ouais, les gars là-bas dans le bureau sont
en train de virer givrés. Si t'as un copain en qui
t'as confiance, passe-lui le mot, et trissez-vous
en vitesse. Pas demain, ni même ce soir. Tout
de suite, et illico presto. Filez vers le sud, le
plus loin possible, et ne vous retournez pas une
fois pour regarder derrière vous.

– Bon dieu, Frankie, mais...

– Tu m'as entendu, oui ou non?

– Oui, m'sieur, et j'ai bien compris. Merci,
merci pour tout. Je vais faire comme vous
dites.

– En douce, et surtout pas de vagues. Vu?

Le gars prit un air de conspirateur :

– Vous inquiétez pas, m'sieur. Je sais y
faire.

Bolan et Turrin sortirent, laissant Jimmy
Jenner s'interroger sur les vicissitudes d'une
vie d'aventurier. Sitôt qu'ils eurent passé le
seuil de la porte, Turrin grommela :

– C'est quoi, cette hirondelle?

– Pas la moindre idée, répondit nonchalamment Bolan. On va bien voir.

– Décidément, tu m'étonneras toujours... Et ça veut dire quoi, ce discours que t'as tenu au petit Jenner?

L'Exécuteur se contenta de hausser les épaules en répliquant :

– Tu m'as entendu, non? Qu'est-ce que c'est, ce môme? Juste un pion sans importance sur l'échiquier pourri de ces ordures. J'ai aucune envie de verser son sang. Il ne profiterait à personne. Et je vais raser cette planque, l'anéantir complètement. Alors que ceux qui veulent se tirer, le fassent. Les autres resteront ensevelis ici à jamais.

Le flic camouflé ne put réprimer un frisson.

– Et moi qui croyais que t'étais devenu un peu plus tendre! marmonna-t-il. Je me faisais des idées.

Bolan lui prit le bras affectueusement.

– Sans parler de tendresse, déclara-t-il, j'ai toujours des points sensibles. Certains de ces mômes... enfin...

– Enfin quoi?

– Tu veux savoir une chose? Parfois je me dis que j'aurais pu me faire à la *Cosa Nostra*, si seulement l'éthique avait été la bonne. Un peu comme l'esprit militaire quand il est compris dans le bon sens. Moi, je ne crois pas à l'individu qui ne vit que pour lui-même. Et c'est bien le plus grand péril que court la démocratie.

Sitôt que les gens perdent l'esprit communautaire, la démocratie vire à l'anarchie. Or l'anarchie, c'est le désordre, et le désordre, c'est le contraire de la vie. Alors...

– Qu'entends-tu par le contraire de la vie? grommela Turrin.

Bolan haussa les épaules :

– Le plus petit organisme vivant dépend d'une structure organisationnelle très complexe pour survivre. Dès que s'installe le moindre désordre, l'organisme dégénère, et le phénomène de l'entropie s'accélère. Or l'entropie est l'inverse de la vie.

– OK, je vois à peu près, fit Leo avec un pâle sourire.

Il se sentait toujours un peu idiot quand il était avec cet individu hors du commun. Un jour peut-être, si tous deux vivaient assez longtemps, il chercherait à comprendre pourquoi, mais pour l'instant il devait bien admettre qu'il était infiniment heureux de l'avoir à ses côtés.

L'hirondelle était un appareil de type commercial capable de transporter trois ou quatre passagers. Le moteur rugit quand les deux hommes étaient à moins de vingt pas, et l'hélice se mit à brasser l'air avec tant de violence que les deux sentinelles qui gardaient le ponton coururent se mettre à l'abri.

Bolan grimpa le premier à bord de l'appareil, et aida Leo à se hisser à son tour.

Le pilote avait un air vaguement familier : un

gars de la Mafia, aucun doute, et Dieu merci, à part lui, l'appareil était vide.

Puis brusquement Leo réalisa que l'hélicoptère était *celui* de Bolan, ni plus ni moins : le pilote venait de l'accueillir avec une bonne tape amicale sur l'épaule, tandis que déjà l'engin prenait de l'altitude au-dessus de la côte.

Le bruit dans la carlingue rendait toute conversation pratiquement impossible, si bien que Leo s'installa confortablement sur son siège à l'arrière, et pour la première fois depuis le début de cette matinée harassante, essaya de se détendre.

Bolan avait pris place à côté du pilote. Apparemment les deux hommes n'avaient aucun problème pour se parler, et discutaient allègrement avec force gestes de la main.

Sacré mec, tout de même, ce Bolan! Capable de charmer un rhinocéros en rut, et d'un seul coup d'œil, de transformer sa charge d'attaque en gracieux pas de deux! Pas étonnant que la Mafia se laisse avoir, et parte en décrépitude partout où il choisissait de la frapper. Il pouvait avoir n'importe quelle ordure avec un simple sourire, et s'attacher n'importe quel cœur dépravé avec un seul mot.

Oui, vraiment un être exceptionnel. Ce gars-là incarnait ce que chaque homme aurait voulu être. Turrin était parfois perplexe quand il songeait aux liens qui l'unissait à Bolan. Il n'avait jamais éprouvé de l'amour pour un homme. Même pas pour son père. Mais avec ce gars-là, c'était autre chose. Qu'importe ce que l'on pouvait en penser. L'affection, le dévouement, étaient si profonds, que peut-être, si Mack Bolan... Heureusement, il n'en était pas question. La vie était assez compliquée comme ça.

Tout en se laissant aller, dans l'hélicoptère, il se demandait si quelqu'un saurait jamais combien Bolan et lui avaient frôlé la mort de près, tout le temps qu'ils avaient passé dans ce repaire pourri. Lui, Leo, en avait bien conscience... et Bolan sans doute aussi.

Mais personne, non personne ne saurait jamais... Bolan avait l'art de faire paraître les choses si faciles, si simples. Et pourtant, là-bas, ils étaient tous les deux sur un baril de poudre. Les ordures de Baltimore n'étaient pas des andouilles, mais bien les bâtards les plus redoutables et les plus roués semant la terreur entre Atlantic City et Miami. Pourtant Mack Bolan les avait roulés jusqu'à la moelle, une fois de plus.

En ce moment-même, ils étaient sans doute en train de s'entre-tuer avec leur férocité coutumière, pendant que Bolan discutait, très détendu, avec son pilote.

Leo avait reconnu l'homme, maintenant : un certain Grimaldi qui à une époque avait fait officiellement partie du personnel de la Mafia. Et puis, quelque part entre Las Vegas et San Juan, il avait rencontré Bolan, et comme pour bien d'autres, de ce jour-là, le monde pour lui avait complètement changé.

Et merde, c'était pas banal ça. C'était de l'amour, ça. Rien de mal là-dedans. Bolan d'ailleurs avait mis juste le doigt dessus : ce genre d'amour, c'était l'inverse de l'entropie. C'était *la vie*, une grande et belle vie pour deux êtres qui savaient que le monde était meilleur, simplement parce qu'ils marchaient main dans la main...

Quant aux crapules, là-bas, oui, ces crapules... elles étaient bien l'antithèse de la vie. Là encore le Sergent avait vu juste.

CHAPITRE XV

Le promontoire était presque encombré, maintenant : trois gros cars de touristes s'étaient garés tout près de la caravane de guerre, et la « cavalerie » de Brognola... une troupe d'environ trente-cinq agents de la police fédérale s'était éparpillée un peu partout de manière à bloquer l'accès du terrain au cas où d'éventuels promeneurs se risqueraient dans les parages.

Brognola s'avança pour accueillir les passagers de l'hélicoptère. Leo Turrin sortit le premier, et le chef fédé le saisit gauchement par l'épaule pour lui donner une accolade un peu bourrue :

– Beau boulot, Grimpeur! Superbe, même!

Bolan apparut immédiatement après, et Brognola s'avança rapidement vers lui pour le prendre dans ses bras et le serrer avec émotion. Après quoi les trois hommes se mirent à sautiller comme des gamins, esquissant un pas de danse maladroit mais tout joyeux.

Ouais, c'était bien des retrouvailles émouvantes, et personne n'aurait su dire lequel des trois hommes était le plus heureux.

Rose d'Avril sortit vivement de la caravane, et courut prendre place auprès des trois amis. Bolan qui l'avait vue arriver l'attira vivement contre lui. Brusquement elle se sentit soulevée du sol, tandis qu'il la couvrait de baisers tout en continuant à tourbillonner comme un fou.

Oh oui, comme c'était bon!

Jack Grimaldi sortit alors de l'hélicoptère, portant les livres de comptes de Santelli sous son bras. Brognola pivota pour s'emparer du « trésor », avec un air de bonheur radieux sur le visage. Rose d'Avril ne l'avait jamais vu ainsi.

Bolan reposa enfin la jeune femme sur le sol tout en lui murmurant au creux de l'oreille :

– Plus tard.

Puis il se tourna pour s'entretenir avec Brognola :

– T'as pu me suivre, Hal?

– Tu parles! Tout le long. On a repéré ton bateau, le *Ville de Tanger*. Il a largué les amarres à l'aube et a pris la direction du sud, vers Cap Henry. Nous avons également obtenu une copie de sa déclaration à la douane maritime. Officiellement, le rafiot ne transporte rien d'autre que des machines en pièces détachées à destination d'Amsterdam. Nous avons également la liste des passagers : un financier de Zurich, et deux agents de change qui ont acheté ces derniers mois, plusieurs silos pour stockage de carburant, un peu dans toute l'Europe. Des individus que la CIA a déjà dans ses fichiers. A part eux, le bateau transporte encore dix-huit passagers, tous des hommes, et tous de nationalité étrangère. Ils ont l'air paraît-il, très chatouilleux. Je pense qu'il s'agit de la garde chargée de surveiller l'acheminement de la marchandise. Donc tu vois, on s'est pas trompés, c'est du gibier en cavale.

– A-t-on le droit de transporter de l'or et de l'argent?

– Non, pas comme ils le font.

– Il suffit donc d'alerter les autorités compétentes qui vont éperonner le bâtiment et le fouiller, n'est-ce pas?

– Hélas, ce n'est pas si simple, soupira Brognola.

– Et pourquoi donc? grommela Bolan.

– Parce que le bâtiment en question bat pavillon algérien. Or depuis quelque temps, le ministère des Affaires étrangères a lancé un mot d'ordre : tout ce qui touche à l'Algérie doit être manipulé avec beaucoup de précaution. En d'autres termes, bas les pattes.

– Il y a bien des exceptions, non?

– Bien sûr, et de plus, ça ne devrait pas durer éternellement. Il s'agit d'une petite crise diplomatique que nous avons avec le gouvernement algérien, au sujet de certaines manœuvres clandestines en Afrique.

Bolan lança un regard sombre à Rose d'Avril :

– Hal, ne me dis tout de même pas que nous allons laisser filer ces ordures pour des raisons de diplomatie.

– Allons, t'énerves pas si vite! On étudie sérieusement le problème. Il y en a peut-être pour un jour ou deux, mais...

– Il n'en est pas question!

– Pourtant tu sais, on peut arraisonner le navire n'importe où. Même à Amsterdam, si ça se trouve.

– Certainement pas. Plus le bateau sera loin, plus on aura du mal à le saisir. Cette cargaison ne doit pas quitter les eaux territoriales américaines.

Brognola commençait à se sentir nerveux :

– Tu ne veux tout de même pas que nous déclarions la guerre à l'Algérie?

– Oh non, pas vous, rétorqua paisiblement Bolan.

– Ecoute, Mack...

– T'as qu'à fermer les yeux et te boucher les oreilles, Hal.

– Certainement pas! Et d'ailleurs c'est parfaitement inutile. Nous pouvons maintenir ce foutu rafiot sous surveillance tout le long de la traversée, s'il le faut. On peut compter sur l'entière coopération des...

– Je regrette, ça n'est pas suffisant.

– Tu vas quand même pas l'attaquer, nom de Dieu! T'auras tous les gardes-côtes et toutes les polices maritimes aux fesses! Ecoute un peu, demain c'est samedi. Encore seulement un jour, et à nous la liberté! Tu ne vas tout de même pas tout foutre en l'air pour...

– Pour quoi à ton avis? coupa froidement Bolan. Moi, je veux une victoire immédiate et définitive. Je me fous pas mal des petites finasseries diplomatiques, quand je m'occupe de la vermine. Ils battent pavillon algérien uniquement pour pouvoir s'enfuir sans être embêtés. Tu le sais d'ailleurs, aussi bien que moi. Maintenant si le gouvernement algérien se fout de voir son drapeau flotter dans nos eaux troubles, eh bien tant pis pour lui. Et puis qu'est-ce que c'est au juste que ce drapeau, juste un bout de chiffon, et le ministère des Affaires étrangères n'est pas dupe. Il appartient à qui, ce bateau?

Brognola baissa les yeux :

– A un consortium dont le siège est à Rotterdam.

– Un consortium de quoi, exactement?

– Oh, un genre de holding financier.

– Un holding chargé de financer des marchés libres, peut-être?

– Possible.

– OK! Si tu dois te sentir plus à l'aise, n'hésite pas à fermer les yeux. Je m'occupe du reste.

Et prenant Rose d'Avril par la main, Bolan lança un regard vif à Grimaldi :

– Tu fais équipe avec moi, vieux?

Le pilote eut un large sourire, et haussant les épaules, déclara :

– Pourquoi pas?

Brognola grinça des dents :

– OK, fit-il morose. Je vais faire de mon mieux pour vous soutenir. Sitôt que vous aurez frappé, le bâtiment va hisser le pavillon de détresse. A ce moment-là, je verrai si je peux calmer un peu les gardes-côtes. Mais par pitié, ne faites pas de folies!

Et entraînant à sa suite Leo Turrin, le chef fédé regagna son poste de commande mobile.

Bolan le regarda s'éloigner en souriant, et murmura :

– Pauvre Hal!

Puis lui aussi se dirigea vers son centre de combat, suivi de près par Rose d'Avril et Grimaldi. A peine entré dans la caravane, il se tourna vers le pilote :

– Tu te charges de l'artillerie : prends quelques fusées éclairantes, le bazooka, et plein de munitions.

– Pourquoi pas quelques bombes, tant que tu y es? plaisanta Grimaldi.

Bolan sourit :

– OK, je vais en fabriquer quelques-unes en vitesse.

– Tu parles sérieusement?

– Pardi. Tu pourras t'occuper de transporter le tout à bord de l'hirondelle? Euh... j'ai quelques mots à dire en privé à Rose.

Réprimant un sourire, le pilote passa directement dans le laboratoire à munitions.

Bolan enleva sa veste, et fouillant sous l'emmanchure, il ôta avec d'infinies précautions un minuscule émetteur à peine plus gros qu'une pièce de monnaie.

– Il a bien marché? demanda-t-il à la jeune femme plantée à côté de lui.

Rose d'Avril brusquement était toute gênée.

– Magnifiquement, balbutia-t-elle d'une voix mal assurée. On ne vous a pas perdu une seconde. Où aviez-vous placé le micro-relais?

Bolan sourit :

– Tout en haut de leur porte-drapeau.

– Vraiment? s'exclama-t-elle, brusquement détendue, mais comment avez-vous fait?

– Oh je l'ai simplement accroché au cordon de rappel, et je l'ai fait coulisser jusqu'en haut.

– Vous êtes vraiment incroyable, capitaine Tonnerre, murmura-t-elle d'une voix un peu contrainte.

Bolan comprit immédiatement la nuance de sa voix, et souriant, lui dit doucement :

– Vous savez, à certains moments bien précis, j'aurais pu couper le contact. Ou vous aussi auriez pu le faire.

– Non, certainement pas, répliqua-t-elle vivement. Ecoutez, je voudrais que les choses soient bien claires entre nous. J'y ai beaucoup réfléchi, et... enfin... flûte, Casseur, je vous aime comme vous êtes. Je veux dire, c'était chaleureux... très bien... réconfortant.

— Toby est une personne très spéciale, expliqua-t-il d'une voix tendre.

— Je le sais, et vous aussi êtes un être bien spécial. Mais que voulez-vous, parfois je me sens un peu... disons esseulée... ou tout simplement pas à la hauteur, si vous préférez.

Bolan la regarda longuement avec émotion.

— Rose, dit-il enfin c'est vous qui rendez les individus comme Toby et moi, très spéciaux. Et je ne veux pas que vous vous sentiez jamais esseulée. Désormais, vous ne verrez plus l'enfer. Vous en avez connu le spectre, et c'est déjà bien suffisant. Rose, il doit bien y avoir quelque chose pour nous, au paradis, sinon l'enfer n'existerait pas.

La jeune femme sentait les larmes lui monter aux yeux, et furieuse de sa faiblesse, elle essayait vainement de les refouler. En plus, voilà maintenant qu'il la serrait dans ses bras, et lui caressait doucement le dos.

Elle se dégagea vivement pour tenter de retrouver un semblant de contrôle, et demanda avec un petit rire tout triste :

— Pourquoi faut-il que vous soyez aussi sublime? Cette histoire du ciel et de l'enfer... c'était si beau quand vous en parliez à Toby. Oh, Mack, comme je vous aime!

Elle avait le visage ruisselant de larmes, et Bolan l'attira à nouveau contre lui.

– Allons, murmura-t-il, si vous tenez vraiment à me tremper, pourquoi ne pas m'entraîner sous la douche?

– C'est une invite? balbutia-t-elle à travers ses larmes.

A cet instant précis, Grimaldi passa avec tout un chargement d'armes.

– J'en ai pour au moins cinq minutes, grommela-t-il à l'adresse de Bolan avec un air entendu.

Celui-ci commençait à se déshabiller, apparemment pour des raisons toutes professionnelles.

– Il va me falloir ma combinaison noire, lança-t-il.

Presque automatiquement, Rose se dirigea vers le placard, dans la chambre, et sortit la tenue de combat. Quand elle revint dans le carré, Bolan avait disparu et les vêtements qu'il portait auparavant étaient soigneusement rangés sur une chaise.

Rose entendit alors le bruit de la douche qui coulait. Elle jeta un coup d'œil par la fenêtre, et repéra Grimaldi, près de l'hélicoptère.

Alors, sans même réfléchir, elle ferma la porte d'accès au véhicule, bloqua le système de verrouillage électronique, et se débarrassant à la hâte de ses vêtements, se précipita dans la salle de bains.

– Toc, toc, fit-elle contre le rideau de la douche.

Un bras puissant surgit alors, et l'attira derrière.

– Dieu que vous êtes beau, soupira-t-elle.

Oh, oui, au diable l'enfer! Rose était au paradis, et elle avait bien l'intention d'y passer un moment divin.

CHAPITRE XVI

Ils repérèrent le bateau quand celui-ci passait un des points les plus larges de cette interminable baie de près de trois cents kilomètres de long. A cet endroit, il y avait grosso modo trente kilomètres de distance, d'une rive à l'autre.

Le rafiot était un vieux cargo délabré, datant de la Seconde Guerre mondiale, et jaugeant cinq mille tonnes au grand maximum. Aujourd'hui pourtant, à voir la hauteur de sa ligne de flottaison, il n'était guère chargé.

Grimaldi amorça sa manœuvre pour vérification de la cible, et piquant du nez à la hauteur du mât, longea la coque du bâtiment d'avant en arrière, à moins de quarante mètres de distance.

Un homme apparut à une des vitres de la timonerie, et observa à la jumelle l'hélicoptère audacieux.

— C'est bien notre bateau! hurla Grimaldi.

— Il fait du dix nœuds, à peu près, non?

– Plus ou moins, oui. Quel est le plan d'attaque?

– Il me faudrait un vol plané rasant au plus près la timonerie.

– On sucre ou on cause?

– On va d'abord causer! cria Bolan pour couvrir le bruit du moteur.

Et dégageant un porte-voix électronique, il lança à son pilote:

– A vos ordres, Capitaine.

L'ahurissant Grimaldi était toujours prêt. Sitôt dit, sitôt fait, et Bolan se retrouva quasiment nez à nez avec un gars plutôt mécontent, coiffé d'une casquette à galons dorés. Il hurla alors dans le porte-voix:

– Vous avez deux minutes pour quitter ce navire. Arrêtez les moteurs, mouillez l'ancre, et tirez-vous. Deux minutes. Après quoi je vous coule.

Le gars lui lança un regard furieux, mais Bolan comprit qu'il avait saisi son message. Deux types en civil venaient d'apparaître sur le pont principal, tandis qu'un troisième surgissait par l'écoutille, brandissant un flingue, tout en glapissant quelque chose à ceux des passagers toujours à l'intérieur.

– Je ne veux pas d'effusion de sang inutile, reprit Bolan dans son porte-voix.

Et il balança une médaille de tireur d'élite par la fenêtre ouverte de la timonerie. Le type à l'intérieur réagit comme s'il s'agissait d'une grenade, et plongea à couvert derrière la cloison étanche.

— Je veux seulement votre chargement, poursuivit Bolan. Mais vous allez devoir y mettre du vôtre. Et ceux qui veulent rester à bord paieront. J'ai dit deux minutes, vous m'avez compris? Le compte à rebours commence.

Inutile de faire un dessin à Grimaldi : le pilote de guerre avait déjà remis les gaz, et la petite hirondelle gicla dans le ciel pour se mettre hors d'atteinte.

— Vous croyez qu'ils vont mordre? hurla Grimaldi pour se faire entendre.

Bolan haussa les épaules, et commença de préparer son artillerie.

— On verra bien, grommela-t-il.

Et de fait le sort des hommes d'équipage le tracassait. Ces gars-là étaient étrangers à la magouille, encore que sans doute le capitaine et ses gradés auraient dû se montrer un peu plus prudents : il est rare de voir d'authentiques passagers se balader sur le pont d'un navire en jouant du flingue.

Quoi qu'il en soit, Bolan désirait voir l'équipage se tirer, mais si ces hommes tenaient à rester à bord ils ne sauveraient pas pour autant ce rafiot de malheur et périraient avec lui tout au fond des eaux troubles de la Chesapeake Bay.

— Tiens, hurla Grimaldi, regardez-les! On dirait qu'ils ont pigé. Ils balancent une chaloupe à la mer.

Ouais, quelqu'un avait pris la sommation au sérieux. Non pas une, mais deux chaloupes maintenant étaient à l'eau, encore reliées au navire par de longues cordes. Et plusieurs gars se préparaient à enjamber le bastingage. Le choix était clair, en bas. Il suffisait de le faire. Inutile de s'apitoyer davantage sur le sort des innocents.

– Une minute trente, annonça le pilote.

Bolan chargea le bazooka et le positionna juste dans l'embrasure du sas resté ouvert. Puis, il sortit d'une sacoche à ses pieds une charge de plastic en forme d'œuf, dans laquelle il inséra délicatement un détonateur.

Grimaldi ouvrit de grands yeux ronds et gueula :

– Vous étiez sérieux, alors?

– Toujours, rétorqua Bolan. Et vaut mieux continuer. Faut pas plaisanter avec ce genre de joujou. C'est du super. Vaudra mieux n'être pas trop près au moment de l'impact.

– Pigé. Vous me direz quand.

Bolan jeta un coup d'œil à son chronomètre, et fit un signe de la main :

– On va commencer par passer en travers de la proue. Tir en ligne.

A nouveau, sitôt dit, sitôt fait...

La mignonne hirondelle piqua du nez, amorçant une grande courbe sur tribord pour se placer sur une trajectoire interceptant à angle droit la route que suivait le navire, à trente mètres environ au-dessus du pont.

Grimaldi avait verrouillé sur sa gauche un trépied sur lequel était posée une mitraillette légère. Bolan cala un de ses pieds contre un taquet du plancher de la cabine, et se pencha par le sas, sulfateuse au poing.

Avec une précision parfaitement calculée, ils coupèrent la route du vieux rafiot dont ils arrosèrent le pont, en balayant consciencieusement toute l'étendue, sans pour autant chercher à faire des victimes, mais visant plutôt un effet psychologique.

Puis Grimaldi termina son virage par une brusque remontée quasiment à la verticale, pour s'immobiliser à cinquante mètres environ au-dessus du navire de façon à observer les résultats de la manœuvre.

Les cordes des deux chaloupes avaient été coupées, et pas mal d'individus s'apprêtaient fébrilement à sauter par-dessus bord.

Pourtant, tout le monde ne réagissait pas de la même façon, sur ce bateau pourri : des coups de feu partaient maintenant de différents points du pont. Deux gars sur bâbord jouaient avec des armes automatiques, visant la queue de la petite hirondelle.

Grimaldi prit immédiatement du large pour revenir sur la cible en effectuant une grande courbe.

En bas, le pont grouillait de types armés, attendant visiblement la seconde offensive.

Bolan estimait qu'il avait donné toutes ses chances à l'équipage. D'ailleurs on apercevait pas mal d'hommes nageant maladroitement dans le sillage du navire, pour rejoindre les chaloupes. Quant aux autres... tant pis pour eux.

– Vous allez payer..., marmonna l'Exécuteur avant de crier à l'adresse de Grimaldi : Bombe prête à larguer.

– Pigé! hurla le pilote qui immédiatement fit plonger le petit appareil.

Ils foncèrent à moins de trente mètres au-dessus du bateau, et attendirent quelques secondes. Bolan était accroupi sur le seuil du sas, sa bombe fabrication maison à la main. A peine la proue du rafiot pointait-elle à la verticale de l'hirondelle qu'il balança son oiseau tout en hurlant :

– Du large!

Grimaldi reprit de l'altitude si rapidement que Bolan perdit l'équilibre et fut projeté à l'intérieur de la carlingue. Un peu comme si une poigne de géant avait saisi le petit appareil pour l'attirer brutalement tout en haut du ciel. Et pas si mal, après tout. L'explosif de la petite bombe était vraiment du super. L'oiseau venait de percuter le navire un peu en avant de la superstructure, déchiquetant une partie de la proue dont les débris incandescents s'en allèrent incendier l'arrière du pont principal.

L'hélicoptère s'était immobilisé à cinquante mètres d'altitude à peu près, et à une dizaine de mètres sur tribord, histoire d'évaluer les effets du joujou fabrication Bolan.

Les vitres de la timonerie avaient volé en éclats, et l'homme d'équipage au gouvernail avait visiblement abandonné la partie. Le bateau dérivait, un peu à l'aveuglette et prenait une position dangereusement en diagonale par rapport à sa route et au balisage du canal. Pourtant les moteurs tournaient toujours, et la cheminée fumait.

Des flammes s'échappaient de différents points de la cale. Maintenant, et il régnait à bord une fébrilité démente.

L'hélicoptère fonça une nouvelle fois sur sa cible, Bolan espérant balancer sa seconde et dernière bombe, pour en terminer une bonne fois. Espoir vain, hélas : les types armés, sur le pont du navire en flammes, balançaient un feu meurtrier et brutalement efficace. Les balles crépitaient contre la mince coque d'acier de l'hirondelle, la perçant de toutes parts comme si elle était en carton. Et Grimaldi n'avait pas le choix : les risques soudain étaient trop grands. Il reprit subitement de l'altitude, et la seconde bombe manqua sa cible, percutant le pont couvrant l'espace-cargo, au lieu de détruire la superstructure, comme l'aurait voulu Bolan. Un nouvel incendie embrasa tout l'arrière du navire.

– Ça devient dur! hurla le pilote sitôt que l'hélicoptère fut un peu à couvert. Qu'en pensez-vous?

– Il faut que je sois sûr! hurla Bolan en retour. Je veux avoir la timonerie!

– OK. Comment on s'y prend?

– Au bazooka.

– C'est bien ce que je craignais! Pour le bazooka, il va vous falloir une plate-forme de tir assez stable, et vous ne pouvez pas faire feu de l'intérieur à cause des retours de flammes. Ça risquerait d'être fatal pour notre hirondelle.

– Alors stabilisez-vous en un point où j'aurai une trajectoire directe sur la cible! hurla Bolan.

– Ça va être dur! Apparemment, le navire est à la dérive. Regardez, il avance comme un crabe.

– Positionnez-vous vers l'avant, et ne bronchez plus, cria Bolan. Restez à un mètre cinquante au-dessus du pont, pas plus, et maintenez-vous aussi immobile que possible. Je veux qu'il nous passe dessous bien à la verticale.

– A un mètre cinquante, il va nous percuter. La cheminée est beaucoup plus haute que ça!

– Alors stabilisez-vous à l'horizontale du pont, sur bâbord. Vous pourrez vous tirer sitôt que j'aurai lâché ma grenaille.

– Mais ils vont nous truffer comme des lapins, à une distance aussi dérisoire. Vous êtes sûr de vouloir prendre le risque?

– Moi, j'en suis sûr, mais je ne puis pas vous forcer à en faire autant.

– OK, je vous suis. Il n'y a guère qu'une seule

voie pour approcher ce maudit rafiot. Vous m'entendez?

– Oui, allez-y!

– Je vais devoir piquer du nez droit sur la proue, fuselage à la verticale. Ça me donnera un bon angle de tir pour ma mitraillette, de façon à vous couvrir un peu. Mais vous devrez tirer par-delà le nez de notre hirondelle. Vous voyez ce que je veux dire? Il va falloir que vous soyez à l'extérieur de la carlingue, pour que les retours de flammes ne fassent pas exploser l'appareil. Et vous allez faire un pigeon parfait, pour ces salauds, là en bas. Vous comprenez?

Bien sûr, Bolan avait pigé. Il lui faudrait s'accrocher à l'un des patins d'atterrissage avec son gros bazooka sur l'épaule, et attendre d'être en position de tir. Pendant ce temps-là, les tireurs en bas auraient une cible parfaitement fixe... un jeu d'enfant, vraiment!

– Allons-y! hurla-t-il.

Et voilà. Le navire dérivait toujours sur tribord, maintenant difficilement le cap sur la côte ouest dans le lointain. Grimaldi fit effectuer un grand arc de cercle à son appareil, pour bien repérer le point d'interception, tandis que Bolan, à l'entrée du sas, étudiait la façon d'atteindre le patin d'atterrissage.

Grimaldi avait assez bien anticipé la course du navire, et se stabilisa à un mètre cinquante au-dessus de la route prévue. Quant à Bolan il était maintenant cramponné à califourchon sur un patin, et essayait de s'immobiliser en se calant contre le fuselage. Quand il fut à peu près en équilibre, il tira à lui l'énorme bazooka, et le cala sur son épaule droite.

Sur le bateau, plusieurs mecs armés étaient déjà en position de tir. Le bâtiment dérivait toujours à une vitesse de dix nœuds environ, et brusquement sur le pont, quelqu'un ouvrit le feu. Grimaldi riposta immédiatement, balayant avec sa mitraillette tout ce qui bougeait sur ce maudit rafiot, dispersant les tireurs aux quatre coins de l'épave agonisante.

Pendant ce temps, Bolan attendait... et ça n'était pas du gâteau!

Le duel entre Grimaldi et les tireurs faisait rage. Bolan observait le carnage, l'œil collé au viseur du bazooka. La trajectoire n'était pas encore assez bonne pour passer à l'acte, et l'Exécuteur ne voulait pas gaspiller ses munitions et se trouver obligé de faire l'acrobate pour recharger l'énorme engin. Trop de temps perdu...

Il voyait parfaitement les types sur le pont, maintenant, pouvait même distinguer leurs visages... et non, ce n'était pas des truands de la Mafia américaine... quels étaient donc leurs liens avec la haute finance étrangère? Et cet individu coiffé d'une casquette à galons dorés qui se bagarrait maintenant avec le gouvernail, dans la timonerie délabrée, était-ce un...

Et brusquement Bolan sut qu'il ne pouvait pas.

Non, il ne pouvait pas anéantir la timonerie et ce qui restait de ce bateau en détresse. Le pauvre gars était sans doute un employé de la compagnie de navigation. Il obéissait seulement aux ordres qu'il avait reçus, et faisait de son mieux pour tenter de sauver le navire qui lui avait été confié... seul maître à bord d'un bâtiment en péril, et qui s'enfonçait dangereusement dans les eaux troubles de l'interminable Chesapeake Bay.

Non, les hommes en bas n'étaient ni des fripouilles, ni même des flics, et ce n'était pas la guerre, non plus; tout au moins pas la guerre au sens où l'entendait Mack Bolan.

Nom de Dieu, c'était tout simplement un accident en mer... et il était absolument impossible de distinguer les coupables des innocents.

Bolan abaissa son viseur, et appuya sur l'énorme gâchette. Le monstrueux projectile traversa l'espace, laissant derrière lui un sillage incandescent, et percuta la proue du bateau avec une violence fulgurante, projetant hommes, débris, lambeaux, ferrailles aux quatre coins du pont transformé en champ de bataille.

Bolan rechargea ensuite le bazooka, et recommença l'opération, visant cette fois-ci le mât avant.

Il distinguait parfaitement le visage de l'homme dans la timonerie, maintenant. Il s'activait près du système de télégraphe, et de par la position des leviers, Bolan comprit le message qu'il envoyait : « Moteurs hors d'usage ».

L'Exécuteur rentra le bazooka et se hissa à son tour à l'intérieur de la carlingue. L'hélicoptère prit instantanément de l'altitude, tandis que le pilote hurlait :

– Seigneur Dieu, qu'est-il arrivé ?

– Ça suffit, hurla Bolan en retour, et, passant vivement le casque-radio, il demanda à Brognola :

– Alors, et ces gardes-côtes, qu'est-ce qu'ils foutent ?

– Ils arrivent, Casseur! Tirez-vous en vitesse !

– Tirons-nous en vitesse, Jack, répéta Bolan à son pilote. Les gardes-côtes vont pouvoir sauver quarante millions de tickets américains...

CHAPITRE XVII

C'était incroyable, mais malgré tout ce qui venait de se passer, en ce jour de Vendredi Vengeance, il n'était encore que onze heures du matin. Bolan avait l'impression que la journée durait depuis au moins trente-six heures, quant à la semaine qui venait de s'écouler, elle semblait se perdre dans l'éternité. Mais qu'était-ce donc que l'éternité? Sans doute encore un truquage du temps ou simplement une illusion dans la perception de la durée...

Le cargo en détresse sombrait lentement dans le canal de navigation de la Chesapeake Bay. Les gardes-côtes étaient à bord, et des canots de pompiers s'activaient pour maîtriser l'incendie. Le tout premier rapport officiel ne mentionnait ni attaque en mer, ni morts, ni blessés, pas plus qu'il ne parlait bien sûr des quarante millions de dollars en or et en argent. Il disait tout simplement qu'une explosion à bord, suivie d'un incendie, avait gravement touché le navire, et que tous les membres d'équipage étaient sains et saufs.

Le rapport transmis par Brognola était beaucoup plus encourageant. Le magot de la Mafia avait été rapidement récupéré, et transféré à bord d'un canot de la police. Bien sûr, l'affaire donnerait lieu à toutes sortes d'arguties juridiques pour savoir à qui revenait cette fortune illégale, mais son existence même, risquait de mettre en position fort embarrassante pas mal d'hommes d'affaires américains ayant ou non pignon sur rue...

Pour Bolan, cette perspective du reste n'était pas déplaisante. Mais surtout il avait maintenant la certitude que la Mafia venait de subir un coup fatal du côté de ses finances. Ajouté aux pertes de la semaine écoulée, c'était sans doute un coup mortel, et on pouvait raisonnablement penser que l'Organisation ne s'en relèverait pas.

Eh oui, comme l'avait expliqué Larry Haggle avec tant de conviction, c'est sans doute le service qui engendrait la puissance, mais il fallait tout de même un sacré paquet de pognon pour entretenir en bon état de marche les machines pourries et les magouilles politiques qui alimentaient le pouvoir corrompu... donc sans pognon, pas de service, et sans service pas de puissance... Pas vrai, Larry le Conseiller?

La bataille de ce Vendredi Vengeance était gagnée, en partie, au moins. Car il restait malgré tout une autre fête à célébrer... Bolan y tenait.

La table du banquet avait été dûment dressée, mais peu de convives y avaient pris place, et Mack Bolan, pourtant un invité d'honneur, n'y avait fait qu'une apparition fantôme, pour s'en éclipser subrepticement. Drôles de manières pour un hôte de marque.

Voilà pourquoi il était de retour au repaire des vautours, cette vieille baraque délabrée au bord de la Chesapeake Bay. Et il faisait grand jour, maintenant.

Rose d'Avril était aux commandes de la caravane qu'elle avait rangée à une distance raisonnable pour que le lance-roquettes puisse fonctionner sans risque d'erreur de cible, et pour que les systèmes de contrôle et de surveillance donnent un maximum de rendement.

Grimaldi quant à lui avait posé son hélicoptère-miracle non loin de la place forte, prêt à entrer dans la danse, si toutefois on avait besoin là-bas, d'un petit coup d'aile.

Bolan était en communication radio avec Rose et Grimaldi grâce à un minuscule émetteur-relais niché dans la manche de sa combinaison noire. Il avait sur lui son artillerie lourde : outre les armes dont il ne se séparait jamais, il portait en bandoulière un énorme combiné M–16/203, et avait passé une ample veste de chasse dont les poches étaient remplies de munitions de toutes sortes : un assortiment de pruneaux de 40 mm pour le 203, plus différents calibres pour les revolvers, dont bien sûr le Beretta à silencieux. Dans un sac suspendu à son cou, il transportait également quatre grenades à fragmentation, et deux fusées fumigènes. Enfin, dans une poche spécialement aménagée dans son dos, il avait placé plusieurs charges de plastic, toutes déjà montées sur détonateurs programmés.

Si par un malheureux hasard cette armada sautait prématurément, le corps de Mack Bolan se trouverait dispersé aux quatre coins de l'univers, et les débris qu'il en resterait seraient si infimes que l'on pourrait à juste titre considérer que l'Exécuteur avait regagné le néant... le néant, sans doute encore un truquage du temps... ou de l'espace.

Mais en réalité, c'était d'autres débris qu'il fallait disperser aux quatre coins de l'univers... de manière à détruire le symbole du mal qui rongeait l'Amérique et tout le monde civilisé... de manière aussi à mettre le sceau final de la victoire sur la bataille de Baltimore.

L'Exécuteur parla à voix basse contre son bras :

– Vous me voyez?

La voix un peu nerveuse de Rose lui parvint immédiatement.

– Affirmatif. La vidéo est superbe.

– Bien. Passons aux oiseaux : balancez le premier dans la lucarne du grenier, et le second dans le mur, à 360 degrés par rapport à ma position actuelle.

– Prêt à tirer, annonça la jeune femme quelques instants plus tard.

– Allez-y. Feu!

Il apparut instantanément : un oiseau de feu au panache incandescent qui cisailla le ciel à une vitesse fulgurante pour venir percuter la fenêtre du grenier du repaire maudit d'Arnie le Fermier. Puis, immédiatement après, un second oiseau aussi brûlant, aussi ravageur que le premier, vint se ficher dans le mur de pierre en un choc effroyable. Deux tempêtes infernales semant tout autour d'elles ruine et destruction immédiates : la première souffla carrément le toit de la baraque tandis que l'autre éclaboussait partout d'éclats meurtriers et ravageurs de pierre, de ciment et de ferraille, ne laissant à la place du mur qu'un grand trou béant où couvaient maintenant des flammes traîtresses.

Bolan s'était mis à courir sitôt que la première fusée avait été lâchée. Une voix douce, contre son épaule, murmura timidement :

– Soyez prudent.

A ce moment précis, il pénétrait dans le tourbillon de fumée qui, il l'espérait, allait lui servir d'écran.

Derrière les ruines du mur gisait un cadavre à demi enseveli sous les décombres. Sans s'y arrêter, Bolan l'enjamba, et balança une bonne giclée du gros combiné dans la fenêtre d'un appartement au-dessus du garage, puis une charge meurtrière de pruneaux 5,56 dans la fenêtre d'à côté.

Les gars s'affolaient maintenant, et hurlaient comme des déments. Bolan sans hésiter balança une grenade lacrymogène par l'un des carreaux brisés, histoire d'ajouter encore un peu de panique à cet enfer en pleine éruption.

Un gus à l'air égaré surgit de derrière un pan de mur brandissant un flingue à double canon qu'il pointa brusquement et sans raison aucune vers le sol, libérant deux balles à la fois. Il s'effondra en hurlant tandis que l'un de ses pieds giclait de côté, proprement déchiqueté. Bolan sans hésiter lui balança une jolie rasade de grenaille en furie en travers de la poitrine, histoire de terminer correctement ce que le type avait commencé assez salement. Cela fait, il pivota d'un bond pour affronter une ombre qui se mouvait dans l'âcre fumée, non loin sur sa gauche.

Un type qu'il identifia instantanément comme un des lieutenants de La Carpa courait à toutes jambes suivi par quatre de ses congénères. Tous arrivaient du hall d'entrée attirés par le bruit de l'explosion, s'attendant, nul doute, à trouver du vilain.

Eh bien, ils ne seraient pas déçus...

Plantant un genou en terre, Bolan se remit à arroser du jet meurtrier du gros combiné. Le lieutenant s'arrêta net, la bouche grande ouverte et agita mollement les bras comme pour avertir ceux qui le suivaient du monstre qui les attendait. Trop tard, hélas : les gus emportés par leur élan culbutaient les uns sur les autres, tandis que le combiné continuait à mitrailler comme pour mieux les transformer en un tas de chair sanglant méconnaissable.

Sans prendre le temps de souffler, Bolan pivota à nouveau, et balança par une fenêtre du rez-de-chaussée, une de ses grenades à fragmentation, avant de se précipiter à l'intérieur de la baraque.

La porte de devant s'était complètement désintégrée sous le feu du gros combiné, et déjà Bolan courait dans le corridor.

Si le champ de bataille dehors ressemblait à l'horreur de l'enfer, l'intérieur du repaire maudit ne valait pas mieux : la panique frénétique et démentielle à l'état pur.

Robert Damon était effondré derrière ce qui restait de la porte d'entrée : la moitié de son visage avait été emporté, et son corps se tordait encore dans les derniers soubresauts d'une agonie rapide. Un autre corps complètement déchiqueté gisait à côté de lui. Dans le vieux parloir, le feu faisait rage, et un cadavre en flammes atterrit dans le hall de derrière au moment où Bolan arrivait.

Quant à La Carpa, il fuyait comme un dingue par la porte de derrière, suivi de deux de ses hommes, espérant sans doute échapper à cette apocalypse grandissante.

Un des deux types virevolta et balança vivement deux balles de revolver qui loupèrent Bolan de plusieurs mètres. L'Exécuteur riposta avec une sérieuse giclée du M16 qui coupa brutalement la retraite des trois fuyards, la réduisant à un vol plané sanglant suivi d'une glissade gluante quelque part au fond du néant.

Un gus armé d'une mitraillette surgit en haut des escaliers, et se mit à balayer furieusement un mur èn face de lui, cherchant à liquider Dieu sait quel fantôme.

Bolan s'accroupit sous l'escalier, et envoya une grenade vers le haut, puis sans attendre, pénétra rapidement dans le bureau de Tommy Santelli.

Mario Cuba gisait par terre, un long couteau planté en pleine poitrine. Il avait cessé de vivre depuis pas mal de temps. Billy Garante et deux des tueurs de La Carpa étaient effondrés non loin de lui, morts depuis un certain temps, eux aussi.

Eh oui, comme prévu, les vautours avaient commencé de se dévorer entre eux.

Le panneau coulissant du « caveau » de Santelli était ouvert, et Carmen Reddi était nerveusement planté à l'entrée, surveillant quelque chose, à l'intérieur.

Plus qu'il ne vit Bolan, il sentit sa présence, et se retourna pour lui faire face, le visage décomposé, les épaules affaissées. L'intendant avait perdu toute sa superbe, soudain. Finie la tenue impeccable de maître d'hôtel : le gars était tout taché de sang, et portait une grosse blessure au front, avec la lèvre inférieure complètement tuméfiée.

Un coup de Mario, sans doute.

Mais la force bestiale n'avait pas eu raison de la cruauté calculée et rusée.

Pourtant il ne restait guère de cruauté ni de ruse chez l'intendant : il posa des yeux figés d'horreur sur le spectacle terrifiant de Mack Bolan en pleine action.

Frankie l'As noir balança une médaille de tueur d'élite aux pieds de l'homme pétrifié, et Carmen balbutia :

– Euh... euh...

Ce fut son chant du cygne.

Le M16 le cisailla net depuis la hanche droite jusqu'à l'épaule gauche. Il s'abattit contre le mur, à l'extrémité du panneau coulissant, regardant sans comprendre de ses yeux curieusement exorbités, la médaille qui gisait à ses pieds.

– Alors, Conseiller, qu'y a-t-il pour votre *service* ? s'enquit aimablement Frankie l'As noir.

– Ah... Ah... merde, Frankie !

– Faux, je ne suis pas Frankie ! Essayez encore.

– Oui, on est au courant. Quelqu'un à Lauderdale...

Le conseiller baissait les yeux, incapable d'affronter le spectacle terrifiant de celui qui était venu pour lui. Et brusquement il tendit, un peu comme un automate, des registres qu'il tenait à la main.

— Tenez, balbutia-t-il, le souffle court, voilà les livres de comptes.

— Mais vous me les avez déjà donnés.

— Ceux-ci sont mes exemplaires à moi.

— Vous avez l'intention de plaider coupable, Conseiller?

— Pensez ce que vous voulez... d'ailleurs pourquoi pas, et quelle importance... De toute façon ce sont les *vrais* registres. C'est pas quarante, mais... cinquante. Oui, cinquante millions qui ont été chargés sur le bateau.

— Si je comprends bien, vous vous serviez au passage?

— Evidemment. N'en auriez-vous pas fait autant?

Le *consigliere* semblait retrouver vaguement un peu de poil de la bête; la voix était mieux assurée, et il récupérait un semblant de dignité.

— Allons, soyez raisonnable, reprit-il. Un pognon pareil! Mais on peut se payer le monde avec. Tout cette putain de saloperie de monde entier.

— Qui, on?

— Vous et moi bien sûr. Pourquoi pas? Personne d'autre n'est au courant. Même s'il vivait encore, Santelli y verrait que du feu! Un pauvre con débile à souhait. L'était même pas capable de tenir à jour son compte en banque.

Alors maintenant, à nous la grande vie, Frankie!

– Vous pouvez prononcer mon vrai nom. Ça ne vous brûlera pas les lèvres. Donc, c'était pas Santelli, l'escroc?

Larry Haggle éclata de rire, un rire hystérique, malsain :

– Jamais Tommy n'aurait escroqué personne! Il en était bien incapable. Je vous dis que c'était un con. Il y croyait dur comme fer, à son trou en Floride! Grotesque vraiment! Grandiose presque, à force d'absurdité!

– Romantique aussi, tant que vous y êtes, suggéra Bolan d'une voix de marbre.

– Oui, exactement, romantique, dingue. Nom de Dieu, un trou dans le sol! Mais pour quoi, au nom du Ciel? Des galeries souterraines et secrètes conduisant nulle part! Tu parles de romantisme? Tu choisis le mauvais cheval, mec. Un pauvre con sur mille réclame de la came. C'est maigre! Mais tous les connards de la terre sont prêts à n'importe quoi pour du carburant, tous, sans exception. Et le service engendre le pouvoir. Le pétrole, voilà la source de tout pouvoir.

– Faux, rétorqua paisiblement Bolan.

– Non, ce n'est pas faux. C'est...

– Romantique, aussi.

– Quoi?

– C'est le rêve qui engendre la puissance. Le rêve, la foi, l'éthique, Conseiller.

– Conneries! Jetez un œil à ça, plutôt!

Et Larry voulut obliger Bolan à prendre les livres de comptes un peu comme s'il lui offrait les clés de son royaume véreux.

Hélas il faisait erreur sur la personne.

Le M16 cracha la seule réponse possible, et Bolan vida intégralement le magasin dans ces livres pourris, emblèmes de la dépravation et de la turpitude.

Le corps du *consigliere* se cabra, puis sautilla sous l'impact des balles, comme dans une danse infernale qui le repoussa à l'intérieur du « caveau » de Santelli. Bolan l'y suivit, l'arrosant toujours de sa mitraille déchaînée, et ne s'arrêta que quand le chargeur vide ne répondit plus à l'appel.

L'Exécuteur laissa alors tomber une médaille de tireur d'élite à côté du cadavre déchiqueté, tout en murmurant :

– *Vive le roi!*

Et de fait, le roi était enfin mort.

ÉPILOGUE

La vieille épave en flamme se cabra en une ultime convulsion, sous la force de la charge explosive que les services de démolition avaient placée dans sa soute.

Bolan coupa le système de surveillance vidéo, et la caravane de guerre battit tranquillement en retraite.

La jeune femme qui était assise à côté de lui, passa un bras autour de son cou, et pressa son visage lisse et soyeux contre le sien encore marqué des affres de la bataille.

– Je vais vous garder éternellement branché en son et en vidéo, murmura-t-elle d'une voix tendre. Je ne peux plus me passer de vous voir ni de vous entendre. Même quand vous êtes en guerre, mais surtout quand vous jouez les vilains petits rats musqués.

– Parce que je suis un vilain rat musqué ?

– Le plus vilain qu'il m'ait été donné de rencontrer. Je veux dire, surtout pendant votre pénétration en douceur. Je n'ai jamais vu per-

sonne parler avec une langue aussi fourchue.
Oh, à propos, j'ai une bande vidéo qui risque
de vous intéresser. Grimpeur a identifié le
sujet : il assure que c'est un des chefs de New
York, un certain Marco Minotti.

– Où avez-vous déniché Marco ?

– Ici, bien sûr, mais il n'a pas fait de vieux
os ! Sitôt qu'il a vu le feu d'artifice, il a filé
comme un dard, la queue entre les jambes. Il
était arrivé avec un convoi de trois bagnoles :
de grosses limousines immatriculées à New
York.

– Voilà qui explique peut-être la descente
des frères Baldaserra, observa Bolan.

– Leo en a tiré la même conclusion.

– Leo ?

– Oh, Grimpeur, si vous préférez. Et puis
assez avec vos petits jeux truqués !

Bolan arrêta subitement la caravane sur le
bas-côté de la route, et attira la jeune femme
dans ses bras :

– Je connais d'autres jeux que vous n'imaginez pas, mon petit.

– Montrez-les-moi !

– Vous le voulez vraiment ?

– Oh oui, je le veux. J'en rêve même.

Eh bien il allait lui montrer. Il avait tout son
temps : Vendredi Vengeance avait duré si peu…
comme si le temps soudain, s'était rétréci.

Demain bien sûr serait samedi… un autre
jour… qui sans doute durerait infiniment
plus.

– Nous sommes bien vendredi, n'est-ce pas? demanda-t-il à la jeune femme.

– Bien sûr, pourquoi?

– Eh bien, c'est jour de fête.

– Formidable, et qu'avons-nous au menu?

Bon sang, elle en voulait, cette môme, et il allait lui en donner, oh oui, il lui en donnerait autant qu'elle en désirait... dans un paradis qui peut-être ressemblerait, quelques instants au moins, à l'éternité.

AVEZ-VOUS LU TOUS LES

ROUGE
GRENADE

chez votre libraire

NICK CARTER

On le surnomme le "maître tueur";
il est rapide, impitoyable;
le meilleur agent du Président américain.
Difficile de résister à Nick Carter;
les femmes, les ennemis,
les lecteurs succombent...

Chez votre libraire :

ANTOINE DOMINIQUE

LE GORILLE

... revient à la charge. Avec des épisodes mouvementés, des affaires ultra secrètes. Le jeu des barbouzes féroces et sympathiques. La valse des services secrets.

Chez votre libraire :

* rééditions

SERVICE ACTION

par Paul Vence

**Au Service Action,
tout le monde connaît Robert Skal.
Il appartient au Groupe Ecarlate,
l'élite du contre-espionnage français.
Les hommes apprécient son courage,
les femmes son charme slave...
Mais quand la France est en danger,
il est impitoyable.
Comme un squale.**

Chez votre libraire :

LES ANTI-GANGS

Les Anti-gangs, une équipe d'hommes durs et implacables qui tuent et se font tuer dans un combat sans merci.

BLADE

Suivez le récit des aventures de Blade, cet homme hors pair, quand il prend son départ fulgurant pour des dimensions inconnues.

Chez votre libraire :

GÉRARD DE VILLIERS

PRÉSENTE

L'IMPLACABLE

par

Richard Sapir et Warren Murphy

Une série bourrée d'action et
d'aventures fantastiques.
C'est violent, c'est cruel... et drôle.

Chez votre libraire :

IMPRIMÉ EN FRANCE PAR BRODARD ET TAUPIN
7, bd Romain-Rolland - Montrouge.
Usine de La Flèche, le 07-09-1982.
1489-5 - N° d'Editeur 10991, septembre 1982.